문을 열어보면

ModernBooks

문을 열어보면

발　행 | 2024년 7월 31일
저　자 | 이은호, 심효은, 신유림, 손미주, 순간, 박재현
펴낸이 | 박강산
펴낸곳 | 모던북스
출판사등록 | 2022.10.27.(제2022-144호)
주　소 | 서울특별시 동작구 흑석로 84, 108관 210호
이메일 | modernbooks_official@naver.com

ISBN | 979-11-93445-19-8

https://modernbooks.co.kr

들어가며

『문을 열어보면』에는 모던북스의 <작가가 되는 시간>을 통해 발굴한 6명의 신인 소설가들의 작품으로 이루어져 있습니다.

병동 속 환자의 일상을 통해 중증의 신체적 고통을 겪는 이가 타인을 마주할 때의 예민한 시선들을 담아낸 (「심야의 아우성」),

여름의 중심, 장맛비가 내리기 직전, 습한 기운을 머금은 책들처럼 흩어진 시간들을 공간을 통해 담아낸 (「보수동 책방 골목」)이 담겨있습니다.

또한 삶은 때론 그저 살아지는 것이 아니라 살기 위한 투쟁의 과정임을 소설로서 형상화한 (「여름 밤의 고요한 소란(騷亂)」),

자신의 내면을 응시하고 상처를 치유해가는 인물이 이야기를 담아낸 (「검둥개」), 아이돌 문화를 통해 청소년 인물간 공감대가 형성되고 자아에 어떤 영향을 미치는가에 모습을 직관적으로 담아낸 (「같은 사람」), 각자의 이유와 사연을 가지고 제주도의 한 카페에 모인 세 사람, 이 잠정적이고 위태위태한 관계와 그를 둘러싼 허상을 그려낸 (「카페 에스페란토」)가 수록되어 있습니다.

차 례

문을 열어보면

이은호 · 심효은 · 신유림 · 손미주 · 순간 · 박재현 지음

ModernBooks

심야의 아우성

이은호

아버지는 내게 좋지 않은 일이 생길 때면 어머니가 나를 임신했을 때부터 음식을 잘못 먹은 탓이라고 말했다. 원망인지 장난인지 알 수 없는 그 말에 질릴 대로 질려버렸지만 확실히 그 당시 어머니는 음식을 가려 먹지 않은 것에는 틀림 없을 것이다. 운 좋게 성공한 보안 카메라 사업으로 우리보다 형편이 나아져 서울의 한 고층 빌딩 아파트로 이사를 가버린 이모보다 먼저 아이를 가졌다고 (그것도 남자 아이임을 태동으로 벌써 느꼈다고 한다.) 어머니는 뛸 듯이 기뻐하셨다고 했다. 가난한 농가의 막내로 태어나 순박하게 자라온 여자와 사투리를 아직 고치지 못한 무뚝뚝한 은행원 남자는 일주일에 2번 정도 남자의 직장 근처에서 데이트를 즐겼으며 적절한 시기에 생명이 자리 잡게 되었다. 어머니는 처음으로 자신이 처음으로 누군가의 막내 딸이 아닌 어머니라는 존재가 되는 것에 아주 큰 기대를 하고 있었고 애지중지 키워보고 싶은 마음이 당연 가득했을 것이다. 당시 아버지는 3만 원 정도를 월급으로 받고 있었는데, 어머니는 아버지가 퇴근 후 사 오시는 각종 산해진미를 먹고 또 먹어대는 탓에 몸무게 앞자리가 2번이나 바뀌었다고 했다. 그렇게 열두달을 품고 태어난 첫째는 역설적이게도 남성 평균 키에 한참 못 미치는 작은 키에 아무리 운동을 해도 근육이 붙을까 말까 한 왜소한 체형이라는 사실이 나로서는 조금 고소하기도 했다. 하지만 서른이 넘도록 형이 어딘가 아프다고 말하는 것을 들은 적이 없긴 했다. 건강 관련 다큐멘터리에 자주 등장하는 노니 따위의 식품들이 약효를 가지려면 권장량의 적어도 10배 정도는 먹어야 한다는 이론을 믿어 의심치 않는데 '산해진미'따위로 불리는 것들은 정말 다를지도 모른다고 생각했다.

한편 나를 임신하셨을 때는 확실히 형을 임신했을 때 비해 먹는 것에 신경을 덜 쓰신 것 같긴 하다. 내 예민한 성격과 산혈석으로 나타나는 열꽃 증상을 달리 설명할 방도가 없긴 했다. 먼 친척을 포함한다고 해도 눈에 띄는 질환자는 없었고 특히 아버지는 내 몸에 열꽃 증상 만큼은 바로 그 때문이라고 강하게 믿고 있었다. 그 당시에도 형을 임신했을 때와 다르지 않게 퇴근길 은행 앞 젖은 나물냄새가 나는 시장에 들러 낙지나 오리 같은 임산부에게 적절하지 않은지는 상관없다고 할지언정 보양이 될만한 식재료들을 사 오셨지만 어머니는 매번 속이 부대낀다며 짬뽕이나 육개장 같은 국물에 고춧가루가 눈에 보이게 띄어져 있는 매콤한 국물 요리만 드셨다.

그 탓에 아버지가 사온 제법 고급진 식재료들은 매번 상하기 일쑤였고 그렇게 엄마는 나를 임신한 내내 빨간 국물거리만 연신 드시다가 찌는 더위가 덥고 더 이상 견디기 힘들었는지 예정보다 2달이나 일찍 나를 출산했다.

*

어딘가의 교양 프로그램에서 임산부가 매운 음식을 먹으면서 발생하는 열이 태아에게 전달되어 피부병이 생기기 쉽다는 내용을 듣고 난 후부터 아버지는 항상 그래 왔다. 나에 대한 미안함 인지 아니면 모든 책임을 어머니에게 넘기고 싶은 건지 어느 쪽이든 부모라고 말하기에는 너무 간사한 마음인 것 같아 더 이상 헤아리고 싶지도 않아져 버렸지만 아버지에게 귀국하자마자 예정된 2박 3일 간의 입원 일정을 설명했더니 가만히 듣고 계시다가

“니 그 오금이고 정강이고 아픈 것도 다 너네 엄마가 그런 거 먹어서 그런 거다. 내가 사다주는 음식 안 먹고...”

이렇게 나의 병을 어머니가 임신했을 당시 먹었던 음식으로 연결지으며 핀잔을 주기 시작하면 주체하기 힘들 정도로 갑자기 확 솟구치는 피로감에 버릇없이 꼭 짜증 섞인 몇 마디를 해야만 직성이 풀렸고 컴퓨터에 집중하고 있던 형은 우리의 대화에 귀를 기울였다가 나와 아버지 싸움이 크게 번지는 것 같으면 내편에 서서 한 두

마디 거들어 싸움이 커지는 것을 막아주곤 했다.

*

입원의 계기는 아마 병원으로부터 의무적으로 전송한 듯한 그녀의 문자 메시지였다.

'지금 한국에 계신 가요? 11월 초에 OOOO 알레르기 연구가 내정되어 있어요.'

요즘 시대에 문자 메시지로 연락이 왔다는 것은 대개 광고나 스팸 메시지 같은 인터넷으로 대량 전송하는 스팸 메시지의 경우가 다분했지만, 문자의 어투로 보아 그녀는 단순히 정보 제공 때문만에 문자를 전송한 것은 아닌 듯했다. 그녀와는 몇 년 전 Y-95118 임상시험 건으로 알게 되었으며 A병원의 연구 채혈실에서 일하는 임상 병리사였다. 마침 방학이기도 했고 슬슬 여름이 오고 있었기에 열꽃이 심해질 무렵이었다. 나는 좀 더 저렴하게 약을 처방받기 위해 한국에 들어오는 편이 낫다고 생각해 귀국한 지 얼마 안 된 참이었고 2박 3일동안 적당히 균형 잡인 식사와 다른 환자들만 없다면 여유롭게 공부할 수 있는 공간을 마다할 이유는 없었고 입원까지 할 경우 병원에서 제공하는 보수가 꽤 컸다. 또한 나는 이런 식으로 내 병세를 요긴하게 이용해 먹을 줄 아는 약삭빠른 편이었다.

A병원은 본가에서 지하철로 2시간 거리에 있는 어느 대학 병원이었다. 유학을 가기 전에는 한 달에 2번 정도 채혈을 하기 위해 자주 방문했었고 약물 투여가 필요한 경우에는 경과를 지켜봐야 한다며 짧게 입원 한 적 도 있었다. 제법 수술을 잘한다는 의사가 몰려 있는 병원이라고 인터넷 기사를 읽은 적이 있던 것도 같다. 어차피 진료를 받으러 가는 것이 아니니 관계 없는 이야기일 뿐이었다. 내가 제공받을 수 있는 서비스는 진약인지 위약인지 그 여부조차 알 수 없는 주사기 2대가 전부였다. 몇 년 전 입원했을 때에는 무슨 이유인지 운 좋게도 1인실을 배정받아 눈치 보지 않고 소리 내어 발음 공부를 할 수도 있었다. 만약 옆에 다른 환자들이 있었다면 이상한 취급을 받았을 지도 모르지만 그런 것을 딱히 신경 쓰는 편은 아니었다.

*

병실은 6인실로 예정되어 있었다. 다인실을 사용하는 건 처음이라 약간 긴장이 되기도 했지만 알레르기 환자라면 어차피 자신 나름의 고통이라고는 해도 다 거기서 거기라는 것을 잘 알고 있다. 게다가 가려움이라는 감각은 분수로 표현하자면 1/10이든 10/9든 환자 입장에서는 크게 차이가 없다고 보는 편이 낫다. 어느 쪽이든 신경 쓰이기 시작하면 한도 끝도 없이 괴로움 감각이 퍼져버려서 일상생활이 불가능한 정도가 되는 경우도 종종 있다는 것이다. 이런 생각을 하게 되면 이내 그런 가련한 마음도 쉽게 사라져 버렸다. 오히려 나에게 있어 그것보다 좀 더 긴장감을 주는 것은 몇 년 만에 그녀를 다시 만나는 것이었다.

*

병원에 서관 채혈실은 언제나 환자들로 가득 차 있어서 최소 30분 정도는 기다려야 했다. 대부분 나이가 들면서 신체 한두 군데에 경증이 생겨 검사를 받기 위해 온 중년들이 많았고 그 다음으로 이미 병실생활에 익숙한 듯 보이는 노인들이었다. 나 같이 임상시험에 참여하는 경우는 굳이 대기표를 뽑지 않아도 바로 연구 채혈실에 들어가기만 하면 되었다. 연구 채혈실은 서관 채혈실 안쪽에 있는 좀 더 작은 크기의 별도로 마련된 공간이었고 병세로 치자면 사실은 내 경우가 그들보다 중증이었음에도 불구하고 나는 조금 더 빨리 채혈할 수 있는 것을 마치 특권처럼 여기고 있었다.

내가 대기수 0명이라는 번호표를 뽑자마자 곧바로 체혈실로 들어오라는 버저가 울렸다. 오랜만에 보는 그녀는 머리 모양을 예전과 달리 단발로 바꿔서 이제는 제법 30대 중반의 여성처럼 보였다. 그녀와 나는 짧은 눈인사를 나눴고 그녀가 나를 만나면 조금 불편함을 느낄 수도 있겠다고 생각했지만 오히려 제 쪽에서 그런 기미를 느낀 듯이 그녀치고는 다소 어색한 표정을 하고 있었다.

*

그녀를 처음 봤을 때에는 갈색으로 염색된 웨이브 머리와 길게 연장된 속눈썹이 딱 봐도 본인을 꾸미는 것에 관심이 많아 보이는 차분한 스타일의 여성일 것이라고 짐작했다. 그녀는 채혈실에 앉자마자 이런 자리가 익숙한 듯이 팔을 걷어 올리고 고개를 왼쪽으로 휙 꺾는 나를 보고 귀엽다고 생각했는지 뜬금없이

'점은 직접 찍은 거예요?'

라며 호기심 가득한 표정으로 물어왔다. 그 당시 에는 그것이 그녀만의 호감 표시였다는 것을 알지 못했고 그런 것 치고는 정말 알고 싶다는 듯이 궁금한 말투였다.

'되게 잘 어울리시네요. 나도 있었으면 좋겠다.'

눈 밑의 점에 대한 얘기는 만나는 사람들로부터 종종 들어왔지만 비슷한 나이의 이성에게 들은 것은 처음이었고 내 미지근한 반응이 시시했는지 그 시절 제법 인기 있었던 아이돌 가수를 언급하며 그 가수와 꽤나 닮은 것 같다고 말했지만 그 가수에 대해 알지 못했다. 그 다음번의 방문에도 그녀는 내 외모에 대해 마음에 든다는 식으로 얘기를 했고 어느 날은 채혈실에 들어오는 나를 보자마자 그 가수의 이름으로 장난스럽게 나를 부르기도 했다. 그녀는 다정

한 호의와 친절한 말투로 종종 내게 호감을 표시해왔지만 그때마다 그녀의 관심거리가 그런 것이구나라고 생각하며 별 대수롭지 않게 생각했다. 더욱이 내 주변에는 그녀만큼 밝고 장난기 가득한 사람이 없었다. 무뚝뚝한 형을 대신에 집 안에서 제법 싹싹한 차남 노릇을 한다고는 해도 재미도 감동도 교훈도 없는 이야기는 잘 하지 못하는 탓에 그녀가 물어보는 질문에 두 마디 이상 답을 하는 것이 꽤 힘들었다.

그녀에게 예전에 채혈을 잘하지 못하는 간호사가 같은 부위에 반복적으로 주사를 놓아대는 탓에 과호흡 증상이 온 적이 있었다고 얘기 한 뒤로부터 그녀는 얇은 주사 바늘로 사용하기 시작했다. 혈관을 뚫고 들어오는 바늘이 확실히 얇게 느껴져서 통증이 적게 느껴졌다. 그녀는 제법 주사를 잘 놓는 편에 속했는데 가끔 말을 건네다가 예고도 없이 갑자기 주사를 놓는 바람에 '삐—약' 하고 신음을 터뜨린 적이 있었다.

"지금 삐—약 이라고 한 거예요?"

남자치고 어린아이 같은 신음에 그녀는 웃음을 터뜨리며 귀엽다는 듯 소리 내어 웃었다. 어린아이 같은 모습의 나를 보고 웃는 그녀를 보면서 그녀의 앞에서는 내 예민한 성격이 잘 드러나지 않는다는 것을 느꼈고 어느새 병원에 가지 않는 날에도 그녀에 대한 것을 떠올리는 일이 많아졌다.

그러다 한번은 그녀가 내 열꽃 증상에 대해서 궁금 한 듯 말을 건네 왔다.

"어느 정도의 고통이에요?"

병원에서 만난 사이지만 병에 대해서 말을 꺼낸 것은 처음이라 조금 놀랐지만 질문의 의도 그대로 정확히 대답하기 위해 기억을 떠올렸을 때, 가장 고통스러웠을 때는 병변 부위를 계속 긁어대는 것이 멈춰지지가 않아서 차라리 죽어서 이 감각을 끊어내고 싶었다는 식으로 대답을 하는 바람에 답지 않게 꽤나 장황한 한탄을 하고 말았다. 그녀는 무게감 있는 내 대답에 동정하는 시선을 보냈다가 이내 거두며 화제를 돌렸다.

"병원에서 수업 받으면서 만든 건데 한 번 보러 오세요. 다른 환자분들도 다 좋아하시더라고요."

그녀는 최근 병원에서 직원들을 위해 개설한 퇴근 후 교실 같은 곳에서 꽃꽂이 수업을 듣고 있다고 얘기했다. 그리고 병원 신관에 자신이 만든 작품이 전시 되어있으니 내가 봐주길 원한다고 말했다. 신관이 어느 건물인지 잘 모르겠다고 대답하니 친절하게 자신의 명함 뒤에 약도를 그려주며 병원 로비 중앙에 전시되어 있으니 시간이 되면 보러 와주었으면 좋겠다고 말했다. 그리고 채혈이 끝날 때마다 오늘은 어떤 동물을 붙여 줄까 하고 흥얼거리며 귀여운

동물 모양의 밴드를 채혈 부위에 붙여주었다.

*

A병원은 서관 동관 본관 신관으로 구성되어 있었는데 신관이 신축 건물이라 깔끔한 덕에 환자 혹은 방문객들이 잠깐 휴식할 수 있는 별도의 공간을 따로 마련해 놓은 듯했다. 그녀가 알려준 방향대로 걷다 보니 신관 입구에 들어섰고 꽤 작지 않은 현수막에 'A병원 꽃꽂이 대회 출품작'이라는 팻말이 쓰여 있었다. 어느 환자들의 보호자들로 보이는 몇 명이 꽃꽂이를 구경하고 있었고 직함 옆에 쓰여 있던 그녀의 이름을 떠올리며 이 병원에 종사하는 관계자들이 만든 듯한 꽃꽂이를 전부 구경했다. 대부분 우드 톤의 바구니에 생화들이 나름의 규칙을 가지고 한 아름 꽂혀 있었는데 어떤 것은 연하게 파스텔 톤을 띄는 반면 어떤 것은 제법 화려하게 색의 꽃을 꽂아 포인트를 준 것도 있었다. 그리고 그녀의 이름이 적힌 꽃바구니에는 다른 꽃바구니와는 달리 지인들이 선물한 것으로 보이는 음료와 과자 그리고 짧은 메모들이 놓여 있었다. 메모에는 그녀의 인성을 칭찬하거나 그녀의 상냥함 혹은 외모에 반한 듯한 환자들이 쓴 것으로 보이는 그녀에 대한 감사 표시들이 적혀 있었다.

그녀와 만나기 전 까지만 해도 병원에 있는 사람들이 전부 의사 아니면 간호사로 두 종류로 나뉘어 불리는 줄 알고 있었다. 그녀가 항상 입고 있는 흰색 가운의 왼쪽 가슴에는 임상 병리사라는 직함이 적혀 있었고 언젠가 친구 B에게 그녀에 대한 얘기를 했을 때 임상 병리사들은 환자들 오줌이나 확인하는 인생이라고 말을 들은 적이 있었다. 확실히 그녀는 근로 시간의 대부분을 환자들의 피를 뽑거나 대소변을 확인하는 일을 하는 듯했지만 그런 것을 다루는 사람치고는 주변 사람들에게 밝은 성격의 소유자라고 인식되는 듯했다.

병원에서 채혈을 위해 방문해달라는 메시지가 오는 날이면 거울을 자주 들여다보게 되었고 그녀와의 대화를 제법 기대하게 되었다. 아무렇지도 않게 곧잘 말을 건네는 성격은 직업적인 특수성이라고는 해도 몇 번의 대화를 통해서 타인과의 상호작용을 두려워하지 않는 그다지 예민한 면도 아둔한 면도 없는 인간적으로 괜찮을 사람일 것 같다는 생각을 하기 시작했다. 신관을 나와 병원 지하에 있는 제과점에서 케이크 한 조각을 샀고 그녀가 만든 꽃바구니 옆에 '항상 아프지 않게 채혈해 주셔서 감사합니다.'라는 내용의 메모지를 놓아두었다. 그리고 그녀에게 있는 어떤 모습에 반한 다른 환자들처럼 나 역시 그녀를 통해서 따뜻한 무언가를 전달받았다는 그 사실에 대한 가벼운 보답을 하고 싶었음과 동시에 내 쪽에서 보내는 첫 호감 표시였다.

*

연구 채혈실은 여전히 담당자가 2명 밖에 되지 않는 작은 공간이었다. 그녀 외에 다른 임상병리사는 다른 환자를 채혈 중이었다. 길어봤자 3분이 되지 않는 짧은 시간이지만 그녀에게 채혈을 받게 되어 내심 안심했다. 그녀는 오랜만에 보니 상태가 예전보다 조금은 좋아진 것 같다며 내가 투여하게 될 약물에 대한 대한 연구 계획서와 사전 동의서 같은 서류 뭉치를 건네며 형식적인 설명을 하기 시작했다. 이번 투여하게 될 약은 이전에 참가했던 [Y-95118]에 비해서 같은 연구에 참여하고 있는 다른 환자들로부터 좋은 양상을 보이고 있다는 이야기 까지 해주었다. 어차피 평생 관리해야 하는 병이 라는 것을 알고 있어서 임상시험에게 거는 기대 따위는 없었다. 서류에는 부작용에 대해 어떠한 책임도 지지 않는 다는 말투성이였지만 참여하게 될 경우, 약효는 알 수 없지만 꽤나 증상을 억제해주는 계통의 약을 무료로 지원받을 수 있는 가능성이 있으니 흔쾌히 사인을 하지 않을 이유가 없었다. 서류 뭉치에 전부 사인을 하고 나서는 병원 로비의 접수처로 가서 입원 수속을 기다렸고 몇 년 전 지워버린 그녀의 연락처를 다시 저장했다.

*

[Y-95118] 임상시험이 끝난 뒤 더 이상 병원에 가는 일은 없었지만 꽃꽂이 전시회에서 메모를 건넨 것을 계기로 그녀와는 병원 밖에서도 만나게 되었다. 그녀는 동료들의 눈을 의식하는지 매번 A

병원과 동 떨어진 타지역에서 데이트하기를 원했고 나는 그녀에게 맞춰주는 것이 싫지 않았다. 그녀는 내가 만났던 여자들 중 가장 여성스러웠고 데이트를 할 때마다 매번 새롭게 달고 오는 액세서리 같은 것들 혹은 나풀거리는 원피스 같은 것을 보는 것이 꽤나 좋았다. 데이트를 할 때의 그녀는 병원에서의 나에게 장난치던 모습과 크게 다르지 않았으며 오히려 조금 더 어린아이 같이 굴었다. 그녀는 내가 열꽃으로 인해 갑작스럽게 약속을 취소할 때도 별다른 불평이 없었다. 3번째쯤 만났을 때 평소처럼 저녁을 먹고 주변의 한산한 곳을 산책하다가 그녀가 입에서 우리가 지금 무슨 사이 걸까요 라며 병아리처럼 투덜거렸다.

'남녀가 3번 만나서 답 안 나오면 안 되는 게임이래요.'

그리고 그녀의 말에 대해서 어떻게 대답할지 고민하다가 당시 떠오르는 감정을 솔직하게 말해버렸다.

'지금 아주 행복한 것 같아요.'

내 말을 듣자마자 신기할 정도로 그녀의 하얀 얼굴이 벌겋게 변하자 진지하게 어디 혈관계통에 문제가 있는 것은 아닐까까지 생각했다. 몇 번의 데이트를 하고 나니 그녀는 내게 잠자리를 하고 싶다는 표현을 해왔고 내가 유학길에 오른다는 것을 얘기하자 그녀는 조금 놀랐다는 듯이 내 결정이 대단하다 느니 사실 병원에 왔을 때부터 중국어로 된 학습지를 보고 있는 것을 봤었다면서 사실은 어느정도 예상하고 있었다고 말해왔다. 그리고 몇 번 더 의미 없는 데이트를 반복하다가 관계가 소원해져 버렸다. 유학의 계기는 시시할 정도로 별것 없어서 그녀에게 설명할 가치도 없다고 생각했고 그녀와 동행하기에는 나 역시 30살 치고는 한국에서 크게 이루어 놓은 것이 없었다.

*

입원하게 될 병실은 6인실이었고 2명이 이미 들어와 사용 중이었다. 커튼이 쳐져 있어서 서로가 뭘 하고 있는지는 파악할 수 어려웠지만 한 명은 중년 여성으로 관절이 아픈 건지 하루 종일 누워있거나 가끔 병동 중앙에 있는 대형 테레비에 뉴스나 가요프로그램을 보러 나갔다. 확실한 건 임상연구로 인해 입원한 환자는 아닌 듯했다. 다른 한 명은 내 건너편 병실을 사용하는 지긋한 나이의 노인으로 병명은 알 수 없었지만 취침시간 마다 섬망 증세를 보이며 간호사들을 불러달라며 연신 호소하고 있었다.

“개 같은 새끼들. 아주 아파 죽겠다는데 아무것도 안해주고-”

노인의 간병인으로 보이는 여자가 나에게 미안한 표정을 지으며 누군가와 통화하며 그녀의 섬망 증세를 설명했다. 할머니는 5분에 한 번씩은 10대 남자애들이 쓸법한 상스러운 욕을 섞어가며 간호사들을 욕해댔고 같은 병실의 중년 여성도 웬만하면 자리를 피하는 것 같았다. 간병인은 불편한 표정으로 나에게 '노인네가 너무 아파서 그래'라는 식으로 무조건적인 양해를 구했다.

*

노인은 자신이 이렇게 죽을 만큼 고통스러우며 아픈데 왜 자신의 상태를 아무도 해결해주지 않냐는 혼자만의 아우성 같았다. 노인의 사투리와 아버지의 사투리가 같은 지역의 그것이어서 노인에게서 뭐든지 남 탓으로 돌려버리는 아버지의 모습을 보았다. 이와 동시에 약물 투약으로 인해 20시간가량을 금식해야 했다. 나는 노인이 섬망을 할 때마다 병실 밖으로 나가 티비 앞에서 무기력하게 시간을 보내다가 이틀째 되는 날 충동을 참지 못하고 그녀에게 전화를 해 병실을 바꿔줄 것을 요청했다. 그녀는 곤란 해하며 들어줄 수 없을 것 같다고 얘기했다. 그녀에게 이런 식으로 연락할 생각은 전혀 없었고 이런 식의 인상을 남길 생각 또한 전혀 없었다. 그녀 역시 나에게 이런 용건으로 전화가 올 것이라고는 생각하지 않았을 것이다. 그러나 그 날은 정말이지 평소와 달리 아주 예민하게 굴어 댔다. 사실은 아버지와 말다툼을 하고 집 밖을 나올 때부터, 왜 달마다 몇 번씩 알 수 없는 트리거로 피어나는 열꽃 때문에 병원을 다니면 안 되는 건지, 왜 그 약값은 우리 집안에서 부담하기에는 말도 안 되는 높은 가격에 책정되어 있는 건지, 정말 나를 임신했을 때부터 엄마가 음식을 잘 못 먹은 것 때문에 이 지경이 된 건지, 그로 인해 임상시험이라도 해서 병의 증세를 억누르려는 내 비참함과 억울함 같은 것들이 꽁꽁 뭉쳐서 괜히 지금껏 나를 가장 상냥하게 대해주었던 그녀에게 분출되고 있었다.

*

입원 후 3일째 되는 날 오전, 몇 번의 진찰과 검사를 더 받은 후 그녀에게 전화로 별 이상이 없으니 퇴원해도 좋다는 연락을 받을 수 있었다. 그리고는 퇴원하기 위해 짐을 정리하고 있는 내 병실로 찾아와 교통비 영수증에 사인을 받으러 왔다고 했다.

“우리 이번이 진짜 마지막이겠네요.”

그리고는 약의 효과가 있었으면 좋겠다며 내 안부를 걱정해주었다. 그러나 약의 효과를 기대하기는 커녕 중국에 돌아가기 전에 이상증상이 발현되지 않기를 더 바라고 있었다. 약간의 어색한 정적이 흐르자 그녀는 애써 밝은 척하며 유학 생활은 재밌었냐며 물어왔고 나는 짧게 근황을 얘기했다. 영양가 없는 몇 마디와 싹둑 잘려진 단발머리를 보면서 몇 년 전 그녀에게 느꼈던 사랑스러움은 찾기가 힘들었다. 그녀는 곧이어 자신이 곧 결혼준비를 하고 있다는 소식을 알렸고 건너편 노인의 아들로 보이는 사람이 여전히 섬망 증세를 보이는 노인 앞에서 노인의 장례를 어떻게 치를 것인지에 대해 얘기하는 것을 듣고 있었다.

보수동 책방 골목

심효은

여전히 희멀겋고 푸석한 피부가 도드라지는 정우를 다시 만난 건 장마를 앞둔 여름의 중심이었다. 밀도 높은 습도가 뜨거운 공기를 만나 숨을 꽉 막히게 했다. 보수동 책방 골목, 제일 끄트머리의 가장 왜소한 서점, 그날 이후 마음에 폭풍이 칠 때면 고은은 그곳에 몇 시간씩 머물렀다. 헌책방에 들어서면 마치 시간이 거꾸로 흘러 그날의 상처가 없던 것처럼 느껴지는 것이 이유 중 하나였다. 손때 묻은 책을 읽다 보면 고은 자신도 뭔가 그럴싸한 글을 쓸 수 있을 것 같은 치기마저 생겼다. 복합적인 마음을 말로 정확히 표현하기 불가했지만, 고은은 이렇게 정리했다. 여긴 산소통이라고.

두 번째 사랑의 생채기가 무뎌지고도 하루 안에 내뱉는 한숨의 횟수가 많아질 때면 고은은 이곳으로 왔다. 늘 같은 곳에 앉아 있는 장영은 무뚝뚝해 보이는 외모와 다르게 감성과 낭만을 가지고 있음을 고은은 알고 있었다. 책방에 머무르며 스며들 듯이 알게 된 그것이 이곳을 자주 찾게 하는 이유기도 했다. 이곳은 고은이 마음껏 숨 쉴 수 있는 도피처였다.

책방 안은 사람 한 명이 겨우 지나갈 정도로 협소한 통로가 용케 만들어져 있었다. 치밀한 작전에 따라 만들어진 통로. 그 작은 공간에 들어서면 책 냄새가 폴폴 났다. 그것은 쾨쾨한 먼지 냄새였다. 어느 날은 곰팡내 같기도 했다. 여름날에는 습도가 올라가며 밥솥에서 나는 구수한 냄새가 났다. 구수한 쾨쾨함은 걸으며 멈추는 곳마다 깊이가 달랐다. 고은은 이 작은 공간 안에서 흩어져 코로 들어오는 각양각색 냄새의 이유가 궁금해졌다. 정면에 보이는 책을 꺼내 들춰보며 혼잣말처럼 물었다.

할아버지, 왜 서 있는 곳마다 냄새가 다를까요? 신기해요.

다 다른 곳에서 왔잖아, 사람 냄새야, 사람 냄새.

여든에 가까운 나이에도 장영의 귀는 무척 밝았다. 고은은 장영을 바라보았고, 신문을 살피던 장영은 고은을 보며 고개를 끄덕였다. 사람 냄새라니…. 고은은 이곳 책방이 흥미로워졌다. 3년째 고은의 아지트인 이곳에서 처음 느껴보는 감정에 벅차올랐다. '사람 냄새', 눈을 감고 책 냄새를 깊이 들여 마셨다. 한쪽 벽 위쪽으로 나 있는 작은 쪽창으로 햇빛이 들어왔다. 저 창은 열린 적이 있을까 고은은 궁금해졌다. 헌책의 종이들이 책방의 습기를 모두 빨아들인 듯 좁은 책방 안은 어느 때보다 쾌적했고, 그 구수함은 더 깊어져 있었다. 순간을 멈추어 숨을 마음껏 내쉴 수 있는 여기, 의식의 흐름을 제멋대로 내버려 둘 수 있는 여기, 고은은 그냥 이곳이 좋았다.

오랜만에 찾은 장영의 책방, 곧 장맛비가 쏟아질 듯한 그날, 고은은 후미진 곳 구석에 쪼그리고 앉아 손가락에 침을 묻혀 가며 급하게 책장을 넘기는 누군가를 발견했다. 순간 고은의 인상이 찌푸려졌다. 자세히 보니 그는 책을 읽고 있는 게 아니었다. 마치 무엇을 찾는 듯 책장을 급하게 넘기고 있었다. 종이들이 습기를 머금었으니, 책장의 넘김은 부드럽지 못했고, 축축한 책의 속지 안에 타액을 마구 적시고 있는 개념 없는 그의 행동을 보고 고은은 그냥 있을 수 없었다.

저기요, 아무리 헌책이라지만 너무 하잖아요.
주인 부르기 전에 그만 해요.
네?
그거! 손에 침 묻혀서 책장 넘기는 거요.

그는 부스스한 머리카락에 뿔테 안경을 쓰고 쪼그려 앉아 뭔가를 찾는 모양새였다. 침을 바르며 책을 들춰보던 그는 고개도 들지 않았다. 심지어 계속해서 같은 행동을 하며 책장을 넘겼다. 고은은 쪼그려 앉아 있는 그의 정수리를 보며 혼자 떠드는 격이었다. 그는 더 이상 아무런 대꾸도 하지 않았다. 그의 행동에 괘씸한 마음이

들자, 고은은 부글부글 속이 끓었다.

저기요!

그제야 귀찮은 듯 천천히 고개를 돌리는 그에게 쏘아붙이기 위해 말발을 장전했다. 두 손을 허리춤에 올리고 말하려는 순간, 그가 벌떡 일어나는 바람에 그의 머리와 고은의 턱이 충돌하고 말았다. 책방 통로는 사람 한 명 겨우 품어주는 아량이었으니 그럴 만도 했다.

괜찮아?

머리끝까지 찌릿한 충격에 고은은 눈물이 찔끔 났다. 말끝은 잘라먹고 괜찮냐고 묻는 그의 경거망동, 비정상적인 행동에 화가 부글부글 폭발하기 직전까지 갔다. 어쩌면 그것은 턱의 아픔 때문인 것도 같았다. 고은은 눈을 꼭 감고 아픔이 진정될 때쯤 한숨을 크게 내쉬고 목소리를 낮추어 말했다.

저기요, 왜 이러세요. 정말.

차고은, 네가 왜? 왜 여기 있어?

어?

여전히 희멀겋고 푸석한 피부가 도드라지는 정우였다. 축 처진 티셔츠의 어깨선에는 땀이 흥건했고, 놀란 눈으로 고은을 내려다봤다. 달라진 점이 있다면 뿔테 안경에 푸석해 보이는 파마머리, 오랫동안 운동을 한 것처럼 보이는 다부진 몸이었다. 큰 키에 축 처진 어깨선은 여전했고, 같은 향을 풍기며 고은을 내려다봤다. 정우의 싱거웠던 농담과 두꺼운 입술의 감촉, 그의 향기, 과분했던 그의 마음이 순간 강렬하게 고은을 스쳐 갔다.

습도가 무척 높았던 여름의 장난이었을까? 여름은 원래 이렇게 짓궂은 걸까? 오히려 잔인했으면 좋았으련만, 배려로 끝이 났던 5년 전의 첫사랑이 고은 앞에 있었다. 겨우 한 사람 지나갈 수 있는 좁은 통로에서 각자의 호흡 안에 헌책이 머금은 습기까지 흩어 담으며 시간이 멈춘 듯 그들은 마주 보고 서 있었다. 정적이 흘렀다. 고은은 머릿속이 텅 빈 것 같았다. 무슨 말을 해야 할지 아무것도 떠오르지 않았다. 그것은 정우도 마찬가지였다.

저기요, 이제 마쳐요. 문 닫아야 해.

아, 네. 할아버지, 저 이 책 계산할게요.

일로 주소. 저기 총각, 책은 찾았는교?

아. 아니요. 아직요.

아이고…, 내일 또 오셔야겠네!

책방 주인 '장영', 고은은 정우가 책을 찾지 못했다는 말에 살며시 번지는 장영의 입가 미소를 보았다. 그것은 다행스러움이었다. 내일 또 올 손님이 있다는 것이 장영의 마음을 푸근하게 한 듯 느껴졌다. 고은이 책방을 드나든 지 벌써 삼 년째다. 장영이 책방 골목의 대장임을 알고 있었다. 옆 책방 젊은 사장님, 나이가 지긋하신 건너편 책방 사장님, 책 방 앞 문방구 사장님이 이곳에 와 던지고 가는 푸념과 걱정, 살아가는 이야기들로 고은은 이미 그들의 많은 것을 알고 있었다. 고은은 그들을 지켜보며 공통점을 발견했다. 그들이 털어놓는 이야기에 장영은 아무런 대답도 하지 않았다. 그런데 책방을 나서는 그들의 표정은 들어올 때와는 사뭇 다르게 편안했다.

지난 봄이었다. 벚꽃이 피기 전이었다. 겨울을 잘 이겨내고 연두의 잎들이 세상에 나오고 있었다. 그 생명력이 주는 에너지를 한껏 받으며 고은은 책방으로 향했다. 고은이 이곳에 도착했을 때, 보통 한 명씩 찾던 좁은 책방에 네 사람이 꽉 차게 모여 있었다. 그날 그들은 고은의 존재를 잊은 채 왁자지껄 심각하게 이야기를 나눴다. 덕분에 고은은 그들에게 스며들어 책방 골목의 내밀한 이야기를 알게 되었다.

15층짜리 오피스텔이라니, 이게 무슨 이야깁니꺼?
그, 강씨 아저씨 가게를 결국 내 놓았다는기 사실입니까?
마, 마, 됐고, 강씨 근마 얘기 꺼내지 마소.
주말에 타지서 놀러 오는 사람들 말고 여기 누가 옵미꺼,
우리 살길 우리가 찾아야지예.
관광객 때문에 우리가 먹고 사는데, 오피스텔이 딱 앞에 가로 막

아빠면 우리는 우짭니꺼.

오피스텔이 15층 맞나? 맞다드나?

머꼬 진짜, 이게 무슨 일이고.

그들의 대화에 소통이란 건 없었다. 질문에 대한 적절한 답은 없었고, 모두가 자기 이야기만 했다. 걱정과 불안, 염려, 생업에 대한 간절함이 담긴 대화의 끝에는 이번에도 장영이 있었다.

됐다. 마. 다 일 보러 가소.

파마머리에 잔뜩 힘을 주고 눈썹 문신이 도드라지는 문구점 아주머니는 가지고 온 꽃무늬 카디건을 주섬주섬 챙겼고, 키가 크고 비쩍 마른 옆집 젊은 책방 아저씨는 야구모자를 집어 들었다. 나이를 추측하기 힘든, 그러나 장영보다는 몇 살 어려 보이는 건너편 책방 할아버지는 구부정한 허리를 톡톡 치며 자리에서 일어났다. 그날 책방을 나서는 사람들의 표정은 여러 날과 다르게 밝지 않았다. 그날은 고은도 조용히 책방에 머물렀고, 책을 여러 권 집어 계산했다. 책방을 나와 골목을 이곳저곳 살피며 걸었다. 평소 시선을 두지 않아 보지 못했던 여러 장면이 보였다. 서점의 책들은 단정하고 가지런하게 종류별로 전시되어 있었고, 요즘 세대의 감성에 맞추어 간판 로고, 외관 인테리어를 한 서점도 보였다. 중간중간 카페도 있었고, 공간을 대여하는 곳도 보였다. 거리는 한산했고, 책방 안에는 책방을 지키는 사람들이 보였다. 고은은 이곳 책방 골목의 지난 이야기들이 궁금해졌다.

다음 날 고은은 얼음이 동동 띄워진 시원한 미숫가루를 장영에게 내밀었다. 달달한 미숫가루 때문이었을까? 고은이 꺼낸 궁금함에 장영의 이야기는 봇물 터지듯 시작되었다. 오피스텔이 세워진다는 이야기에 얼굴이 찌푸려졌지만 여든에 가까운 자신이 반대기를 들고 서는 모양새가 우습기만 할 것이며, 그럴 에너지도 없거니와 그만한 가치도 없다고, 그 소식에 가슴 한편이 쿵 하고 내려앉았지만 여기 있는 사람들, 이것이 생업이니, 그저 계속하던 일을 해야 한다고 했다. 단지 책방을 주기적으로 찾는 이들에게는 한층 한층 올라가는 오피스텔 공사 현장이 반갑지는 않을 것이라며 혀를 쯧쯧 찼다.

1967년에 친구 부부가 하도 해보라 하기도 했고,
아내가 그래 하자고 해서 결정했지.
화물차 운전 일이 혹시 사고라도 날까봐 늘 조마조마 해 했거든.
마누라 지가 먼저 하늘나라 가삐고는.
애들 학교 보내고, 살림 사는데 문제가 없을기라 했는데,
그땐 진짜 그랬다.
마침 딱 두 집이 있었는데,
넓은 데 말고 나는 여기가 딱 맘에 들었네.
그때부터 50년이 다 돼가네. 아이고. 아이고.

50년이나 되셨네요. 정말 대단하세요.

지난밤, 고은은 이곳 책방 골목이 궁금해져 검색을 해본 터였다. 1970년에 들어서면서 부산이 산업화가 시작되며 이곳을 찾는 사람들이 많아졌고 골목 양쪽에 책방이 들어섰다고 했다. 교육에 대한 사람들의 열의가 높아지며 책방 골목의 호황기가 몇 년 동안 이어졌고, 주인 없는 책들이 모인 이곳에 희귀한 책을 구하러 다니는 사람들도 많았다고 했다. 이곳은 한국전쟁 당시 부산이 임시수도가 되었을 때 조성된 곳인데, 더 이전에 일제가 패망하며 일본인들의 거주지에 있던 버려진 책들, 6.25 전쟁 당시 미군과 유엔군이 읽다 버린 잡지 등이 이곳으로 왔다는 이야기들도 있었다. 고은은 고등학교 시절, 엄마와 찾았던 이곳을 떠올렸다. 기억은 흐려졌지만 흩어지진 않았다.

할아버지, 고등학교 때 여기서 엄마랑 책을 샀던 기억이 있어요.

맞아, 학기가 끝날 때쯤엔 헌책들이 물밀듯 밀려 들어오고, 가격 흥정하는 것도 꽤 재밌었지.

신학기가 시작되면, 새 교재, 헌 교재를 사러 책방 앞에 줄도 길게 섰는데. 주말에는 말해 뭐해, 발 디딜 틈도 없었다 마.

내 청춘에는 사람들로 가득했네, 가득했어.

아직도 마 생생하다. 생생해.

장영은 코끝이 빨개졌고 잠시 이야기를 멈추었다.

동아 전과 4학년 꺼 주세요.

국어사전 중고 깨끗한 거 있나요?

수학 정석 있어요?

엄마, 내 이 책 살래.

이거 팔 수 있나요?

문제집 추천 좀 해주세요.

조금만 더 깎아 주세요.

엄마는 늘 가격 협상을 했고, 늘 엄마가 원하는 가격으로 흥정이 되었다. 그 시절 고은은 엄마가 억척스럽게 느껴졌고 부끄럽기도 했지만, 가격 흥정에 매번 성공하는 엄마가 이긴 듯해 뿌듯하기도 했다.

딱 2000년이 되니, 여기를 찾는 사람이 많이 줄었지.

파리 날리기 시작한 거야.

그땐 지금보다 더 별로였어. 갑작스러운 불황이었지.

그때 가게가 예순다섯 곳이나 있었는데, 지금은 열 곳 남짓 남았구먼, 다 어데로 가서 뭐 하고 먹고살았는지 모르겠네.

그랬다. 책방 골목은 세상이 바뀌며 가장 큰 변화를 겪은 곳이었다. 여기 오는 사람들, 이제 책을 사러 오는 게 아니다. 옛 감성을 사러 이곳에 왔다. 장영은 책이 아닌 감성을 팔고 있는 것이다. 감성을 팔다가 감성에 스며든 걸까? 장영에게 무뚝뚝함이 느껴지는 이유는 뾰족한 눈과 굳게 다문 입술, 왜소한 체형이 주는 이미지 때문이었다. 하지만 그는 보이는 것과는 사뭇 다른 사람이었다. 장영은 수명이 다해가는 듯 깜박이는 전등을 끄며 말했다.

니도 갈 때가 다 됐구먼.

정우는 이곳 책방에 그날 처음 온 게 아니었다. 최근 고은은 드나듦이 뜸했으니, 정우는 요사이 이곳을 매일 드나든 것 같았다. '왜 하필 여기를…' 이곳은 보수동 헌책방골목에서도 가장 구석진 곳에 있고, 거의 쓰러져 가듯 보이는 낡은 건물에 책방 내부도 불편할 정도로 좁았다. 무엇보다 장영에게 풍기는 무뚝뚝한 이미지 때문에 있던 손님도 책 몇 권 훑다가 금방 나가버리는 곳이었다. 둘은 책방을 나와 걸었다. 장맛비가 곧 쏟아질 듯 높은 습도가 피부에 닿아 끈적거렸다.

뭘 찾고 있었어?
아…. 응. 그냥.
근데 너 손에 침 묻혀 책 넘기지 마라.
아… 마음이 급해져서, 내일 오후에 올라가야 하거든.
뭘 찾는데?
아…. 그게, 내 책.

갑자기 얼굴이 붉어지며 대답을 얼버무리는 정우를 보며 고은은 그가 무엇을 찾는지 무척 궁금해졌다.

책?, 중요한 거야?

시나리오 쓰는 데 꼭 필요해서…. , 넌 … 잘 지냈어?

아…. 응. 그럭저럭.

저녁, 같이 먹을래? 우리 오랜만에 거기 갈까?

아… 응.

정우가 고은에게 먼저 저녁을 먹자고 한 것은 처음이었다. 그들이 뜨겁게 사랑했던 시절, 그 멘트는 고은의 담당이었다.

저녁 먹자. 뭐 먹을래?

오늘, 같이 있고 싶어.

정우는 느리고 답답할 정도로 유순한 성격에 다정하고 편안했다. 가끔 싱거운 유머지만 고은에게 웃음을 주었다. 반대로 성격이 급해 뭐든 추진하는 것에는 거침이 없었지만 늘 듬성듬성 빈틈이 많은 고은은 뭐든 먼저 제안했고, 먼저 말을 했다. 그렇게 3년이란 시간 동안 고은에게 불만이 쌓여가며 급기야 그의 사랑을 의심하기 시작했다. 그 조급함이 멀어지게 한 이유였음을 헤어지고 한참 뒤 알게 되었다. 그것은 어느 날 수신처 부재로 발송되어 온 편지 때문이었다. 고은은 정우가 보낸 것이 아님을 알 수 있었다. 보낸 이의 짧은 메시지가 있었기 때문이다. 굵은 펜으로 쓴 글씨는 삐뚤빼뚤했다.

-제가 간직하기엔 이분의 마음이 아까워 편지의 주인에게 보냅니다.-

5년 만에 찾은 순두붓집은 여전히 사람들로 북적거렸고, 더 유명해졌다고 자랑하듯 대기하는 사람들을 뽐내고 있었다. 대기표도 없이 가게 앞은 좁은 길 가장자리로 사람들의 줄이 길게 이어져 있었고 고은은 다른 곳으로 갔으면 하는 마음이 들었지만, 정우의 의지가 오늘은 꼭 이곳인 듯 보여 말없이 그의 옆에 섰다. 그곳에서의 기다림은 5년 만에 재회한 그들에게 어색한 공기를 내뿜었고, 그 공기를 날리려 무슨 이야기든 꺼내야 했다. 9할은 고은의 언어로, 1할은 정우의 표정으로 대화가 이어졌지만, 그것이 나쁘지는 않았다. 30여 분 남짓 지나 그들은 창가 쪽 자리에 앉을 수 있었다. 벽에 걸린 시계, 셀프 반찬대의 위치, 손님용 앞치마의 색깔, 반찬의 종류, 순두부찌개의 맛까지 이곳은 그들이 처음 만난 날과 달라진 게 하나 없었다. 순두부찌개의 간은 짜지도 싱겁지도 않았고 여전히 이 집 특유의 감칠맛이 났다. 반찬으로 나오는 어묵볶음은 이 집의 주특기였다. 이곳은 정우의 단골집이었다. 고은과 헤어지고 여기가 처음이란 말과 함께 멈출 줄 모르는 그의 숟가락질을 고은은 멍하니 바라보았다.

아주머니, 여기 순두부 1인분 추가요.

빙긋이 웃는 정우에게 고은은 따져 묻고 싶었다. 왜 그 편지들을 주지 않았냐고, 왜 헤어지자는 말에 아무 말도 하지 않았냐고. 수많은 글 중 왜 한 문장도 말로 꺼내지 않았냐고…. 헤어짐에 잔뜩 묻어 있던 배려는 고은이 원했던 것이 아니었다. 5년을 어떻게 지냈는지, 정우의 편지를 받고 한동안 자신의 삶이 어땠는지, 정우의 가슴을 치며 쏟아 내고 싶었다. 하지만 고은은 그저 그 말이 목구멍까지 나오려 할 때마다 순두부 건더기를 가득 떠서 입에 담았다. 말없이 순두부찌개 2인분을 뚝딱 해치운 정우가 조심스레 작은 목소리로 이야기를 꺼냈다. 고은은 순간 온몸에 전율을 느꼈다. 머릿속은 새하얘졌다.

너에게 썼던 편지를 찾고 있었어.
이번 시나리오에 꼭 필요한 키인데, 선명하지 않아서.
널 만나거라 생각하지도 못했는데.

그가 찾고 있었던 건, 고은에게 쓴 50여 통의 편지들, 몇 년 전 서울로 이사를 하며 책을 정리해 보수동 책방 골목의 끄트머리 책방에 싼값으로 팔았다고 했다. 그 책들 중 고은에게 쓴 편지가 켜켜이 담긴 책이 있었고, 시나리오를 쓰며 풀리지 않는 어딘가를 분명 그 편지가 해결해 줄 것 같은 예감에 5일째 그곳 책방에서 책들을 훑고 있다고 했다. 책방 골목 분위기가 많이 바뀌었고, 사라진 책방들이 있지만 그곳이 책을 팔았던 곳임을 확신하고 있고, 분명 깊숙한 어딘가에 편지가 담긴 책이 있을 거라고 했다.

정우의 간절함이 고은에게 전해졌지만, 고은은 아무 말도 하지 않았다. 편지들은 그곳이 아닌 고은의 방 서랍 안에 고이 담겨 있으니, 당연히 그곳에 없을 거란 걸 고은은 말하지 않았다. 그 편지를 전해준 사람은 장영이었다. 역시 그랬다. 시간이 흘러 감성을 파는 서점의 주인에게는 감성이 있었다. 무뚝뚝해 보이는 책방 주인에게는 낭만이 있었다. 정우는 장영에게 결코 편지 이야기를 묻지 않을 것임을 알고 있었다. 그리고 두 사람이 모르는 이야기를 고은은 알게 되었다. 고은은 형언할 수 없는 들뜨고 흥분되는 감정이 무엇인지를 선명하게 하려 매콤한 어묵볶음을 젓가락으로 집으며 집중했다.

더 먹을래?
아, 아니, 괜찮아. 다 먹었어.
우리 일어날까?

순두붓집 앞에는 아직도 대기 줄이 길게 이어져 있었다. 고은의 눈에 정우의 입가에 묻은 주황빛의 순두부찌개 흔적이 보였다. 그것을 말해주면 왠지 편지의 행방을 이야기해야 할 것 같은 이상한 생각이 들었다. 정우가 간절하게 찾는 그것을 전해줘야 할 것 같다가도 그 편지의 목적지는 원래 자신이라는 당당한 마음이 들기도 했다. 그때 갑자기 세상을 뚫고 무서운 기세로 빗방울이 떨어지기 시작했다. 금세 세상이 뜨거운 빗물로 채워졌다. 빗소리에 세상의 소리가 모두 닫혔다. 정우는 고은의 가방을 품안에 넣고 고은의 손을 잡고 뛰었다. 그의 손은 여전히 크고 따뜻했다. 비가 쏟아지는 형상을 보니, 잠시 피할 수 있는 곳이 의미가 없는 듯했다. 그와의 만남이 꿈이었을까? 고은은 빗소리에 세상의 소리가 닫혀 몽롱해지는 순간이 꿈처럼 느껴졌다. 정우와 나눈 이야기들도 꿈처럼 흩어졌다.

정우야, 그 편지에는 뭐가 적혀 있어?
다 꺼내지 못한 내 마음?
그 마음은 이제 없는 거야?
아니.
그럼?
네가 행복하면 좋겠어.
나는….

고은은 더 이상 말하지 않았다. 그래야 할 것 같았다. 그가 말한 행복이 무엇인지 알고 싶어졌다. 흠뻑 젖어 집에 돌아온 고은은 그의 편지들을 꺼냈다. 편지에서 책방의 냄새가 났다. 눈을 감고 깊게 숨을 내쉬었다.

한동안 고은은 책방을 찾지 않았다. 공허함이 마음 안에 가득 채워져 어떤 것도 손에 잡히지 않았다. 공허함의 이유를 알 것도 같았다. 편지의 행방을 고은 자신만이 알고 있는 것, 그의 마음을 알고 있지만 마음 한편에 가두어야 한다는 것, 고은 자신의 마음을 붙잡아야 한다는 것.

공허함은 어떤 감정이야?

응? 음…. 어떤 감정인지를 모르는 감정이야. 뭐라고 정의하기가 어려워. 머릿속은 하얗고 일이 손에 잡히지 않아.

정우에게는 한 번씩 전화가 왔고, 그가 찾지 못했을 편지 이야기는 묻지 않았다. 그에게 편지 이야기를 하지 않았음이 마음 한편을 불편하게 했기 때문이었다. 고은에게 정우는 어설펐고, 무엇을 표현해야 할지 막연하고 답답했던 첫사랑이었다. 마음을 어떻게 표현해야 할지, 말아야 할지, 감정이 앞서 실수도 잦고 후회할 일이 많았던 풋풋한 사랑이었다. 헤어짐조차 방법을 몰라 상대의 배려로 마침표를 찍은 그 사랑을 그냥 그 자리에 예쁘게 두고 싶었다. 그리고 그것이 행복일까는 계속해서 물음표였다. 그것이 고은을 공허하게 했다.

고은이 다시 책방을 찾았을 때는 하늘은 높아지고 바람에 담긴 온도가 다르게 느껴지는 늦여름의 오후 시각이었다. 벌써 책방 골목 앞 오피스텔은 공사가 시작되었고, 주변의 경관은 달라보였다. 여름의 중심이었던 그날, 그리고 다음 날, 정우가 다시 책방을 찾았을지가 궁금했다. 장영은 웃으며 고은을 맞아주었다. 평소보다 친절한 웃음에 고은은 살짝 당황했지만, 장영에게 좋은 일이 있나 보다 했다. 한여름의 장영보다 훨씬 편안해 보였다. 장영은 책을 정리하던 중이었다. 고은은 그의 옆에 섰다. 그가 손으로 전해주는 책을 책꽂이에 꽂았다.

할아버지, 그 청년은 다음 날도 왔나요?

다음 날 뿐일까? 여름내 왔다.

네?

내 점심 친구다. 점심 친구.

찾았어요?

아니, 못 찾았지.

장마가 시작될 무렵 책방을 찾아온 청년은 여름내 책방에서 뭔가를 찾았다고 했다. 그리고 책방 문을 닫을 시간이라고 하면 다급하게 앞에 있는 몇 권의 책을 계산하며 내일 또 와도 되겠냐고 물었다고 했다. 일주일 되는 날부터 그들은 점심을 같이 먹기 시작했고 둘은 늘 아무런 이야기를 하지 않았다고. 그저 각자 앞에 놓인 짜장면 한 그릇에 집중했고, 한 번씩 단무지를 집어 먹으며 짜장면이 줄어드는 양과 단무지가 줄어드는 양을 맞추었다고 했다.

아마, 또 올끼다.

이제 저만치만 열어보면 된다카더라.

그러면서 가리키는 곳, 오른쪽 벽면의 책들, 그에게 편지는 시나리오를 위한 것 이상의 의미임이 분명하다는 생각에 고은은 책방을 뛰쳐나갔다. 곧장 다시 책방으로 들어서는 고은의 손에는 편지가 쥐여 있었다.

이거…. 책에 끼워주세요. 할아버지.

이제 들고 왔네. 잘했다. 잘했어.

알고 계신 거였죠?

하모. 딱 그 편지랑 닮았구먼.

제가요?

이래 봬도 오십 년 아이가? 글을 만진 지가 오십 년이야.

보자, 이쪽에 넣어보자 한번.

장영은 <영화 시나리오 이론>이란 크고 두꺼운 서적 한 권이 눈에 들어왔다고 했다. 두껍고 연식이 오래되었지만 남다른 화려함을 뽐내는 표지의 책이었는데, 위쪽의 먼지를 털어 내려 마른 걸레질을 하다 책 사이사이 껴 있는 뭔가를 발견했고, 책장을 펼치니 종이 끝이 노랗게 된 편지들이 나타났다고 했다. 켜켜이 담겨 있는 50장의 편지들, 그리고 우표까지 붙여둔 편지 봉투, 마치 비밀 상자의 열쇠를 푼 듯 여든 노인의 마음이 오랜만에 두근거렸다고 했다. 책을 두 팔로 꼭 안고 낡고 오래된 탁한 갈색의 책상 앞으로 가지고 와 전등을 밝혔고, 돋보기를 쓰고 그것을 살펴봤다고 했다. 또렷또렷한 필체라 노인네의 돋보기를 통해 글은 잘 읽혔고 필체와 글솜씨에 감탄했다며, 이 사람을 꼭 잡으라는 이야기를 덧붙였다. 50장의 편지에는 풋풋함과 절절함이 빼곡히 담겨 있었다며 마치 보물 상자 속에서 꺼낸 듯한 편지를 밤새 이곳에서 읽어 내려갔다고 했다. 어쩌면 여름의 중심에서 정우를 다시 만난 것은 장영의 바람이었을지도 모른다.

이젠 끄트머리도 붙잡지 못하는 아주 먼 기억이야. 십 년 전 세상을 저버린 부인이 생각났지.

편지들은 장영이 따로 깊숙이 넣어둔, 고은의 눈에 왠지 낯이 익은 두꺼운 서적 안으로 다시 들어갔다. 그 순간 영화처럼 정우가 책방 문을 열고 들어왔다. 고은은 장영의 소매 끝을 당겼고, 장영은 고은을 보며 고개를 끄덕였다.

해의 길이가 짧아져 벌써 나지막하게 햇살이 내려앉았다. 그 햇살이 뿌리는 색이 화려한 주황빛이 되었다. 주황의 빛들은 책방의 여기저기를 물들였다. 빛이 닿은 책들에서 사람 냄새가 흩어져 고은의 코끝에 머물렀다. 책방 골목의 가을이 시작되고 있었다.

여름밤의 고요한 소란(騷亂)

신유림

진환이 일을 위해 집을 나선 그날은 한여름치곤 하늘이 무너질 듯 내리는 비로 인해 유난히 추웠다. 어제까지만 해도, 시끄럽게 울어대던 매미 소리는 멎었고, 여름의 색을 가득 머금었던 푸른 거리도 온통 잿빛으로 물들어 있었다. 기묘했다. 분명 한 여름 안에 있는데, 그에서 벗어난 것만 같은 날씨였다.

*

진환은 3년 전 홀로 유품정리사가 되겠다는 신념 하나로 서울로 상경했다. 그러나, 그렇다고 해서 유품정리사를 꿈꿔온 것은 아니었다. 진환은 본래 전국 등수에 들만큼의 수재여서 전역 이후, 대학교에서 로스쿨 진학을 위한 준비를 거듭하고 있었다. 그 전화를 받기 전까진 말이다.

“진환아, 동호라고, 기억나냐…?” 순간 동호의 잔상이 잘 기억나지 않았던 진환이 대답을 망설였다. “그, 우리 중학교 2학년 때, 까까머리 감자 동호 있잖냐” 그제야 동호를 떠올린 진환은 그와의 즐거운 추억이 갑자기 불쑥 떠올라 시원하게 웃으며 정훈에게 대답했다. “당연하지 인마, 근데 갑자기 동호는 왜?” 정훈은 잠깐 망설이다 이내 결정을 내린 듯 차분하게 소식을 전했다. “아니…. 나도 갑자기 들어서 놀랐는데 말이야, 그놈 혼자 죽었다네….” 학창 시절 내내 웃는 얼굴로 자신은 꼭 파일럿이 되겠다고 소리치던 동호가 갑자기 생을 마감했다니…. 진환은 놀란 마음을 주체할 수 없었지만, 차분히 생각을 다시 정리하곤 정훈에게 그의 장례가 언제 치러지는지, 어떻게 진행되는지 대강 물어보곤 서울에서 전주까지의 차편을 구해 그의 장례식장에 방문하기로 했다.

동호의 장례는 너무나도 초라했다. 가족이라곤 동호의 홀어머니가 전부였고, 그를 제외하고 빈소에 있던 이들은 나와 정훈, 동호의 고등학교 동창 두 명과 회사 동료라는 한 사람뿐이었다. 평소 쉽게 눈물을 흘리지 않던 진환은 그만 장례식장의 초라한 풍광과 영정사진 속 정장을 입은 채 활짝 웃고 있는 동호의 증명사진을 보곤 어린아이처럼 주저앉아 목 놓아 울기 시작했다.

얼마나 지났을까, 그런 진환의 옆으로 동호의 어머니가 다가와 손수건을 건넸다. “진환아, 오랜만이다” 동호 어머니의 담백한 인사에 진환의 눈시울이 다시금 붉어지자, 정훈이 애써 분위기를 전환했다. “진환이 이 녀석이 어머니 많이 뵙고 싶어 했어요” 그의 말에 수척해진 그녀가 잠깐 얼굴에서 그림자를 거두었다.

그러곤 다시 바닥만 바라보며 그녀는 애써 감정을 누른 채 진환과 정훈에게 그래도 동호가 기특하게도 나 하나 믿고 원하는 직장에도 입사했었다며 떨리는 목소리로 말했다.

그런데, 진환은 한 가지 의문점이 들었다. 보통 직장 동료가 목숨을 끊은 경우나 사고로 상을 당했을 때는 다 같이 조문을 오는 것이 일반적인데 장례식장에 방문한 직장 동료는 한 명뿐이었다. 꺼림칙한 느낌을 진환은 지울 수 없었다. 그래도 시간이 아직 남아있었기에 계속해서 동호 어머님을 도와 정훈과 같이 조문객들을 기다렸다. 하지만 결국 회사 동료들은 동호의 장례식장에 방문하지 않았다.

장례를 마친 토요일에도 진환과 정훈은 동호 어머니를 도와 동호의 유품을 정리하고 있었다. 동호 어머니는 줄곧 몇 개의 물건을 집고는 한참을 우수에 찬 눈빛으로 바라보곤 했다. 그때, 동호의 책상을 정리하다 머리를 세게 찧은 정훈이 다급하게 진환을 불렀다. "여기 책상 밑에 뜬금없이 웬 쪽지가 붙어있는데?" 별다른 유서가 없던 상황이라 셋은 다급하게 쪽지를 책상에서 떼어내곤 다 같이 읽기 시작했다.

첫 쪽지에는 "윤이나, 010-●●●●-●●●●"로, 누군가의 이름과 번호가 적혀 있었고, 두 번째 쪽지에는 "고요한 소란(騷亂)"이라는 다섯 글자만 단지 적혀있을 뿐이었다. 당최 이게 무슨 의미인지 몰라 벙쪄있던 두 사람을 두고, 행동이 빠른 진환은 이나에게 망설임 없이 전화를 걸었다.

*

유품정리사, 이름만 보면 고인의 유품만을 처리할 것 같지만, 방치된 고인의 흔적을 지우는 것도 그들 업무의 연장선상이다. 대부분이 고독사 현장이기 때문에, 시체가 오래 방치된 경우가 다반사라 지독한 시취를 견뎌낼 수 있어야 하며, 처리해야 할 폐기물들도 많기에 체력도 많이 따라줘야 하는 직업이라고 할 수 있다. 당연히, 진환도 처음엔 포기하고 싶었던 적이 많았다. 그러나, 그럴 때마다 유족들의 간절한 눈빛을 외면하질 못했다. 덕분에 진환은 공포영화도 잘 보지 못할 만큼 으스스한 분위기를 못 견뎌 했었으나, 고인과 대화를 하러 간다고 생각을 고쳐먹곤 곧잘 일을 수행해 내고 있었다. 덕분에 멍청한 혼잣말들이 늘었지만 말이다.

이번 의뢰는 대룡빌딩 4층에 있는 사랑 고시원에서 들어온 것이었다. 엘리베이터도 따로 없는 데다가 비까지 세차게 내리는 와중에 집주인분께서 다음에 방문해도 된다는 친절한 선화를 주셨지만, 개의치 않고 오늘도 고인과의 대화를 위해 무거운 몸을 이끌고 고시원에 도착했다. 본격적으로 고시원에 들어가기 전 차에서 내려 주차장에서 고인을 향해 조용한 묵념을 올렸다.

고시원 방안은 말 그대로 아수라장이 따로 없었다. 고독사였지만 선아의 죽음은 전혀 조용하지 않았다. 시끄럽다고 표현하는 편이 더 정확했다. 마치 자기의 이야기를 들어달라는 호소처럼 느껴지기도 했다. 발에는 정신과에서 처방받은 약봉지들이 자꾸만 걸렸다. 마른 피들이 눌어붙은 커터 칼이 그 주변을 부유하고 있었다. 그러다 앳된 얼굴의 학생증이 눈에 띄었다. “박선아, ●●대학교, 스물둘…. 너무 어리네” 아직 생을 마감하기엔 너무 이른 나이었다. 그러다 문득 진환은 요새 들어 점차 고독사 연령이 낮아지고 있다는 생각이 들었다. 처음엔 노인 분들의 고독사 현장을 처리하곤 했는데, 갑자기 찾아온 씁쓸한 생각에 그는 다시 유품 정리에만 집중하기로 마음을 고쳐먹었다.

그런데도, 진환은 학생증에서 밝게 웃고 있던 선아의 모습이 자꾸만 눈에 걸렸다. 왜 그렇게 어린 나이에, 좁디좁은 고시원에서 선아는 발버둥 칠 수밖에 없었던 걸까. 평소라면 유가족분들에게 따로 유품을 잘 정리해 드려야 하므로 깊은 내용을 살펴보진 못하지만, 선아는 무연고 고독사였기에 따로 유가족이 없어, 고시원 주인분께서 고인의 흔적을 전부 폐기해달라고 말씀하신 상태였다. 때문에, 진환은 오랜만에 고인과의 대화에 몰입하게 되었다.

*

“누구시죠…” 수화기 너머로 앳된 여성의 목소리가 들렸다. “아, 윤이나 씨 되십니까? 전 동호 친구 김진환이라고 합니다.” “아…. 동호 씨 친구분, 아, 네, 잠깐만요….” 진환은 미세하게 이나의 목소리가 떨리고 있음을 느꼈다. 뭐가 있는 건가 생각이 들 때쯤이나가 다시 조심히 말을 붙였다. “혹시 뭐 여쭤보실 게 있으신 건가요…?” 진환은 막상 전화하긴 했지만 무엇을 먼저 물어봐야 할지 정리가 잘되지 않은 상태였다. 그래도 동호의 죽음에 대한 실마리를 풀고 싶었다. "동호, 직장에서는 잘 지냈는지 궁금해서요. 조문객으로 동료분이 딱 한 분 오셨길래 신경이 쓰여서." 그러자 이나는 곧 충격적인 이야기를 시작했다.

말수도 없고 착한 동호는 자신이 맡은 일은 곧잘 해내는 멋진 친구였다. 책임감도 남달랐고, 주변에 어려운 친구가 있으면 먼저 도움을 주는 것을 주저하지 않았다. 그런데 딱 한 가지 단점이 있었다. 바로 손이 느리다는 것. 동호의 꼼꼼한 일 처리는 양질의 결과물로 이어졌으나, 진행되는 과정은 손이 느린 탓에 다소 답답하다고 느낄 수도 있었다. 이나는 그런 동호의 단점에 대해 말하면서 갑자기 김 과장에 관한 이야기를 꺼내기 시작했다. "김 과장님이 동호 씨한테 아주 심하셨죠. 동호 씨가 질문에 대답하면, 네 입에서 나오는 이야기들은 다 쓰레기다, 네가 홀어머니한테 자라서 그런지 아이디어도 결핍이 있다든지 이런 폭언은 기본이었고요…." 진환은 지금 자신이 듣고 있는 이야기가 맞는지 헷갈리기 시작했다. "질문에 대답하지 않으면 회사에는 특별전형으로 따로 입사한 거냐, 그렇게 살 바에는 죽는 게 낫지 않냐 이러면서 갈구시기도 하고, 뺨까지…." 진환은 순간 버럭 화를 냈다. "이나 씨, 근데 결국 이나 씨도 방관자 아닙니까? 김 과장이 뭐라고 다들 그러고 앉아 있는 건데요?" 순간 정적이 흘렀다. 이윽고 울먹이는 목소리로 이나가 힘겹게 말을 이었다. "저…. 사실 저는 동호 님 무슨 일 있으실 때마다 도와드리겠다고 많이 말씀도 드려봤는데요…. 그때마다 어차피 신고해 봤자 그분 높으신 분 자제인 거 다 아는데,

절대 못 이긴다고…. 그래도 이나 씨 덕분에…” 진환은 순간 화를 참지 못하고 이나의 마지막 말도 끝까지 듣지 않은 채 전화를 끊어버렸다. 복잡해진 머리를 깨끗이 소독해버리고 싶었다. 그냥 차라리 이게 다 거짓말이길 바랄 뿐이었다.

*

선아의 방은 쓰레기로 가득했지만, 책상만은 이상하게 깨끗하게 정돈된 채 있었다. 아마 그나마 깔끔한 저곳에서 시간 대부분을 보냈으리라 하고 진환은 짐작할 뿐이었다. 책상엔 경영학 전공 서적과 함께 공무원 수험서가 정갈하게 놓여 있었고, 그 위에는 빨간 다이어리가 놓여 있었다. 진환은 빨간 다이어리가 선아의 죽음에 큰 단서가 되어줄 것 같은 묘한 확신이 들었다. 곧 망설임 없이 다이어리를 빼든 그는 다이어리의 똑딱 핀을 열고 선아의 생각을 바쁘게 좇았다.

다이어리에 써진 바를 토대로 알 수 있는 것은 선아가 보육원 출신의 자립 준비 청년이라는 것이었다. “자립 준비 청년이면, 디딤씨앗통장 같은 걸로 생활비 해결했으려나…” 진환은 사회복지사였던 친구 정훈이 들려줬던 디딤씨앗통장에 관한 이야기를 기억해 냈다. 혼자 다이어리를 보며 중얼거리던 진환의 발밑으로 떨어진 종이에는 총지원금과 앞으로의 생활비 마련 계획 따위가 적혀있었다. 누구의 도움도 없이 혼자 자립하며 등록금, 생활비, 월세 따위를 부담해야 하는 선아에게는 턱없이 부족한 돈이었다. 이 아이는 대체 무엇을 바라보며 살아간 것일까, 진환은 갑자기 지독한 시취에도 아무렇지 않던 속이 울렁거리기 시작했다.

*

진환은 동호 어머니와 정훈에게 이나의 이야기를 어디서부터 어떻게 전해야 할지 감도 오지 않았다. 머리만 쥐어뜯고 있던 진환에게 동호 어머니 해숙이 다가왔다. “진환아, 밥 좀 먹고 마저 정리하려는데, 너 좋아하는 해물파전 해줄까?” 진환은 도저히 밥이 넘어갈 것 같지 않았지만, 괜히 더 죄스러운 마음에 어머니에게 활짝 웃으며 고개를 끄덕일 뿐이었다. 애석하게도 그날 해숙의 해물파전은 정말 맛있었다.

마지막 유품을 정리하던 와중 아까 전화 통화를 했던 이자에게 문자가 와있었다. “진환 씨, 저 윤이나입니다. 다름이 아니라, 동호 씨가 나중에 정훈씨든, 진환 씨든 연락이 오면 전해줬으면 했던 게 있어서요. 시간 괜찮으실 때 마음 많이 안 좋으시겠지만 연락해주시면 감사하겠습니다:) ” 진환은 곧바로 전화를 걸었다. 이제 더 잴 것도 없었다. 이나는 곧 PDF 파일 하나를 보내줬고, 암호는 ‘고요한 소란(騷亂)’이라고 했다. 진환은 두 번째 쪽지 밑에 작게 쓰여 있던 숫자를 기억해냈다. 그렇게 열람한 PDF 파일은 동호의 유서였다.

“떠나는 길이 마냥 행복하진 않았지만, 나의 마지막 이야기를 알아주셔서 감사합니다. 모두 사랑하고, 고마웠어요. 나는 이제 고요한 소란을 두고 떠납니다.”

진환은 결국 이나의 이야기를 해숙과 정훈에게 말하진 못했다. 다만, 동호의 마지막 말만 전해주었을 뿐이다. 그러나 동호의 이야기를 전하지 못한 것에 대한 죄책감은 계속 진환을 옭아맸고, 결국 죽은 자의 이야기를 대신 전해주는 유품정리사까지 그를 이끌었다.

*

선아의 다이어리에는 ‘이겨내자, 할 수 있다, 나는 결국 해낼 것이다’와 같은 말들이 빼곡히 적혀 있었다. 선아는 부족한 생활비를 메꾸기 위해 학교에 다니면서도 고깃집, 야간 편의점 아르바이트를 쉬지 않고 했으며, 그 와중에도 생활비를 아끼고 아껴 책을 사는데 투자하고 있었다. 스물두 살, 아직 어린아이가 감당하기엔 너무나 큰 짐이었다. 다이어리 뒤 페이지가 또 있었지만 차마 넘겨볼 용기가 없었다. 선아의 무수한 눈물과 절망은 방 안 가득한 약봉지와 커터 칼에 담겨 있었다.

진환은 문득 그 순간 뜬금없게도 동호를 떠올렸다. 버텨지지 않는 무게를 감당하고 있던 둘, 많은 물음을 뒤로한 채 고요하게 혼자 생을 마감한 둘. 닮은 부분이 너무 많다고 생각했다. 그러다 동호의 ‘고요한 소란(騷亂)’이란 말의 의미를 비로소 깨달았다.

진환은 이젠 더 이상 고요한 소란을 묻어둘 수 없다고 생각하며 용기를 내보기로 했다. 한여름의 춥고 두꺼운 빗소리를 뚫고, 다시 돌아올 푸른 여름날을 위해, 앞으로 울려 퍼질 많은 소리 들을 위해.

검둥개

손미주

검둥개를 다시 보게 된 건 한낮의 열기가 한풀 꺾인 저녁 무렵이었다. 희주는 뜨겁게 달구어진 낡은 소형차에 올라타며 에어컨을 켰다. 유난히 긴 하루네. 바깥은 여전히 밝았고 중고로 산 10년 된 아반떼의 에어컨은 차의 열기를 식히는데 시간이 오래 걸렸다. 라디오에서는 경쾌한 목소리들이 시끄럽게 흘러나왔고 이어 사뭇 진지한 목소리 톤의 아나운서가 오늘의 뉴스를 브리핑했다.

서울의 한 초등학교 학습 준비실에서 교사가 극단적 선택을 한 일이 발생했습니다. 교사 A씨는 해당 학교에 부임한지 5개월 된 교사로 학생들의 등교 시간 전에 시신으로 발견돼 이를 목격한 학생은 없는 것으로 파악이 되었습니다. 평소 과도한 업무와 지속적인 학부모의 민원을 처리하는데 힘들어했다는 동료교사의 증언을 토대로 경찰 조사가 시작되었고 교사 노조는 교육 당국과 경찰 당국에 성역 없는 철저한 진상 조사를 요구하고 있습니다. 해당 초등학교 근처에는 추모 행렬이 이어지고 있으며 토요일에는 추모 집회가 열릴 예정입니다.

멍하니 라디오를 듣던 희주는 마음속에 울컥 하고 올라오는 무언가를 삼켰다. 삼키려고 애를 써도 눈물이 넘쳐 흘렀고 한번 터진 울음은 걷잡을 수 없었다. 희주는 갓길에 차를 세워야만 했다. 한참을 앉아 숨을 고르고 눈물을 닦고서 다시 출발하려할 때쯤 검둥개가 나타났다. 도로가를 서성이고 있는 검둥개. 어린 시절 희주네 집 주변을 떠돌던 바로 그 개였다. 그녀는 위태로워 보이는 그 개를 못 본 척 할 수 없어 차에서 내렸다. 개는 희주를 보고 반갑게 꼬리를 흔들며 아는 체를 했다. “너 맞지? 못 본 사이 많이 자랐네.” 개는 떠돌이 생활을 오래했는지 털 여기저기는 뭉쳐있었고 눈에는 눈곱이 잔뜩 끼어있었다. 다시 차에 타려는 희주를 검둥개는 졸졸 따라왔다. 어쩔 수 없이 검둥개를 차에 태웠다. 검둥개는 집까지 가는 동안 한 번도 짖지 않고 얌전히 앉아 희주를 바라봤다. 꼬질꼬질한 개를 씻기고 냉장고에서 먹다 남은 닭 가슴살을 꺼내 주었다.

“검둥이, 이게 니 이름이야.”

검둥이는 제법 사나웠다. 얌전히 희주를 따라왔던 그 날과는 다르게 점점 고집이 세졌다. 희주가 출근하고 나면 신발과 옷가지들을 물어 뜯어놓았고 때로는 희주를 물기도 했다. 희주는 서툴렀다. 매일 전화로 무례한 고객을 응대해야했고 집에 돌아오면 언제나 기운이 없었다. 검둥이를 훈련시키는 것도 함께 산책을 나가는 것도 피곤했다. 이미 커다랗게 자란 검둥이는 희주의 말을 잘 듣지 않았고 같이 공원을 나갈 때면 지나가는 사람들을 향해 무섭게 짖어댔다. "주인이 컨트롤 하지도 못하면서 개를 왜 키우는지 원, 쯧쯧." 자신을 향해 뱉는 말들에 희주는 움츠러들었다. 결국 검둥이와 나가는 걸 포기했다. 희주의 원룸은 점점 더 지저분해졌고 시끄러워졌다. 검둥이가 짖을 때마다 옆집에서는 벽을 치며 욕을 했다. 희주의 말을 듣지 않고 제멋대로 구는 검둥이를 볼 때면 짜증이 났지만 자신의 옆에 붙어 곤히 잠을 자고 있는 녀석을 보고 있으면 이상하게 안쓰러웠다. 하루 종일 집에 혼자 있어 심통을 부리는 검둥이는 희주 곁에 계속 있으려 했다. 출근을 할 때마다 가방을 물고 놓아주지 않았고 실랑이를 하느라 희주는 번번이 지각 했다. 팀장님이 희주를 쏘아보는 횟수가 늘어날수록 검둥이는 점점 더 커지고 힘도 세졌다. 희주가 어찌할 수도 없을 만큼. 이제는 누가 집 주인인지도 헷갈렸다. 그녀는 자신의 공간이 필요했지만 희주를 필요로 하는 검둥이에게 늘 지곤 했다.

"너도 답답했구나."

검둥이의 머리를 쓰다듬어주고 옷도 갈아입지 않은 채 침대에 털석 누웠다. 엉망이 된 집이지만 손가락 하나 까딱하고 싶지 않았다. '잘 지내고 있나. 별일 없지?' 부재중 전화 1건과 엄마의 카톡 메세지. '응. 별 일 없어.' '포도즙 한 박스 보냈어. 잘 챙겨먹어. 아프지 말고,' '나 잘 못 챙겨먹으니까 다음부터 보내지 마. 엄마도 건강 조심.' '희주야 시간나면 아빠한테도 연락 한 번 해 요즘 아빠도 술 끊으려고 애쓰고 있어' 답장은 보내지 않았다. 지겨워. 진저리쳐지는 반복된 생활. 결국은 나에 대한 환멸로 끝나는 관계. 엄마와 짧은 대화를 끝낸 뒤 스크롤을 내리며 기사를 훑었다. 얼마 전 죽은 선생님과 연루된 학부모가 국회의원이라더라, 경찰 고위직이라더라 하는 카더라 뉴스, 기사에 '좋아요'를 누르고 댓글을 확인했다. '언제부터 이렇게 관심을 가졌다고' 한숨이 나왔다. 지켜주지 못해 미안하다는 메시지는 언제나처럼 등장했고 또 다른 선생님의 자살 소식이 들려왔다. 주말에는 집회가 열린다는 소식도 눈에 띄었다. 내일도 무더위가 계속된다는 뉴스, 연예인 이모양이 몇 백 억짜리 건물주가 되었다는 이야기, 지하철 승강장에서 일하던 청년이 사망했고 공장에 불이 나 스무 명 남짓 목숨을 잃었는데 대부분 외국인 노동자더라 하는 기사들. 속이 갑갑해 냉수를 벌컥 마시고 다시 누웠다. 인스타에 접속해 접점 하나 없는 사람들의 모습을 멍하니 바라봤다. 엄지 손가락만 움직이면 되는 편리함. 지겨운 하루를 보내는 가장 손쉬운 방법. 귀여운 동물들, 우스꽝스러운 행동을 하는 사람들의 피드 사이 광고 글 하나가 눈에 들어왔다.

'당신의 마음을 읽어드립니다' 1회기 상담 무료 진행. 바쁜 현대인을 위한 심리검사 1종 무료. 신청서 작성하기. -마음 번역소-

'무슨 수로 나도 모르는 내 마음을 읽는대.'

희주는 다음 피드로 넘기려다 멈칫했다. '1회기 상담은 무료로 진행된다고?' 마침 상담소도 집 근처에 있어 나쁘지 않을 것 같았다. 신청서에 간단한 인적사항 및 메일 주소를 기록하고 가능한 상담 일정에 체크를 했다. '어떤 문제를 나누고 싶으신지 적어주세요.' 물음은 고민 끝에 비워두었다. 신청서를 보낸 뒤 얼마 되지 않아 상담자로부터 메시지가 왔다.' 8월 2일 18시에 마음 번역소에서 뵙겠습니다. 상담 전까지 메일로 보내드린 문장 완성 검사를 작성

하신 뒤 회신 부탁드립니다.'

메일함의 문장 완성 검사 양식에는 50개나 되는 문항이 있었고, 이를 보니 괜히 신청했다는 마음이 들었다. 취소하려다 결국 '내가 가장 두려워하는 것은, 내가 늘 원하기는, 언젠가 나는, 내가 믿고 있는 내 능력은' 같은 문장은 빈칸으로 남기고 전송했다. 무엇으로 채울지 모르는 미래의 날들에 대해 적어 내려가는 것이 무책임하게 느껴졌다.

희주는 유통 업체에서 콜센터 상담사로 일했다. 상품의 유무 및 배송 진행 사항을 안내하는 일을 맡은 지도 이제 석 달이 지났다. 원래는 구로에 있는 IT회사에서 소프트웨어 기획 및 개발을 담당했었다. 구로의 오징어잡이 배라고 불리는 회사는 포괄임금제를 내세우며 공짜 야근을 밥 먹듯 시켰고 주말, 휴일까지 나가 일했지만 추가 수당을 주지 않았다. 계속되는 철야근무로 위궤양, 허리디스크, 만성 두통, 불면증에 시달렸고 당뇨전단계라 식단을 조절하지 않으면 평생 약을 먹어야할 지도 모른다는 말을 듣고서야 회사를 그만뒀다. 그만두는 희주에게 팀장은 "몸이 아프다는 건 핑계고 의지 부족 아니냐? 니가 빠진 자리 당장 어떻게 구하라고 책임감도 없이 그만둬"라고 화를 냈고, 떡진 장발에 수염을 기른 옆 자리 동료는 희주를 보고 '희주씨 어서 가'라며 입을 벙긋거렸다. 희주가 당장 일할 수 있는 곳은 많지 않았다. 면접을 본 회사들 중 콜센터에서 당장 같이 일하자는 연락을 받았고 매일 9시부터 오후 5시까지 좁은 부스에서 고객을 응대했다. 제품이 왜 빨리 오지 않냐고 짜증을

내는 고객부터 상품이 마음에 들지 않는다며 이따위 물건을 파느냐고 격앙된 목소리를 쏟아내는 사람도 있었다. 환불이 완료된 이후에도 계속해서 시간적, 정신적 피해 보상을 요구하는 사람과 통화할 때면 진이 다 빠졌다. 요구사항 중 합당한 사유가 있을 때는 마련된 보상 정책에 따라 진행을 하면 그만이었지만 대부분의 민원 전화는 그 이상의 것을 원했다. 상급자에게 인계하더라도 이미 고객의 짜증과 화를 받아낸 마음은 자꾸만 닳아버렸다. 잘못한 것도 없는데 자꾸 죄송하다고 말해야할 때마다 이렇게 지내다간 무언가를 느낄 수 있는 마음도 다 사라져 버릴 거라고 생각했다. 차라리 아무 것도 느끼지 않게 되기를 바랐다. 고생 많다고, 친절하게 안내해줘서 고맙다는 사람들도 있었지만 "못 배워 처먹어서 지금 전화나 받고 살고 있지."라는 사람의 이야기를 듣고서도 마음을 추스릴 시간이 없었다. "아이 낳고서 일할 수 있는 곳이 마트 아니면 여기밖에 없었어. 나는 다리가 불편하니 마트는 글렀고 이렇게 일할 수 있는 것도 감지덕지지" "희주씨, 아직 얼마 안돼서 그렇지 여기도 금방 익숙해질 거야. 마음 쓰지 마."라며 다독여주는 영주 언니가 있어 3개월간 버틸 수 있었다. 언니는 늘 방울토마토나 참외 같은 걸 깎아서 넉넉하게 싸왔고 희주와 나누어 먹었다. 허리 디스크에 좋은 운동이라고 아침에 일어나면 바로 해보라고 링크를 보내줬고 희주는 그럴 때면 언니도 다리 불편하다고 집에 앉아만 있지 말고 집 앞 산책이라도 하라고 응수했다. 언니는 무슨 이유인지는 모르겠지만 혼자서 6살된 아들을 키우고 있었고 빨강머리 앤의 주제가처럼 외롭고 슬프지만 굳센 사람처럼 보였다. 그런 언니에게서는 할머니의 로션 냄새가 났고 언니의 이야기를 듣고 있는 게 좋았다. 희주는 자신이 다이애나가 된 것 같다는 상상도 했다. 검둥이 사료를 주문하면서 언니에게 줄 두유와 언니 아들이 좋아할만한 쿠키도 같이 주문했다. 아직 쉬이 잠들지 못하는 날들이었지만 언니와 이야기한 뒤부터 악몽을 꾸는 날은 줄었다.

퇴근 후 약속된 상담소를 찾아갔다. 상담소는 희주의 생각보다 작았다. 희주의 방만큼이나 작은 오피스텔 14층에 위치한 사무실. 새하얀 벽지에 원목 책상과 갑 티슈, 무소음 시계, 미니 냉장고가 전부인 아담한 공간이었다.

"어서오세요. 희주씨 맞나요?"

안경을 쓴 영주 언니 또래의 여자 상담사가 희주를 맞았다. 희주는 긴장한 채 멀뚱히 서서 고개를 까딱했다. "이쪽으로 앉으세요. 저와의 거리는 편안하신가요?" "네. 그런 것 같아요." 어색함에 목소리가 기어들어갔다. "어떤 이야기를 나누고 싶으신가요?" 상담사의 온화한 목소리를 들으니 긴장이 조금 누그러졌다. "잘 모르겠어요. 그냥 가슴이 좀 답답하고 또 무료라고 해서 신청한 건데."

"그러실 수 있어요. 괜찮습니다. 그러면 지금 기분은 좀 어떠세요?"

"조금 긴장되네요. 제가 괜히 시간을 뺏은 것 같아 죄송하기도 해요."

"아니에요. 저는 희주씨의 이야기를 듣고 싶어요. 희주 씨가 가지고 있는 문제의 해결책을 제시해드리지는 않지만 희주 씨가 스스로 답을 찾아갈 수 있도록 도와드릴 수 있어요."

상담사의 이야기를 들으며 희주는 엄지손가락의 굳은살을 뜯었다. 상담사는 그림 카드 5장을 꺼내 희주 앞에 내밀었다.

"희주씨. 카드를 잘 살펴보시고 마음에 걸리는 카드가 있다면 한 장 골라보세요."

걱정스런 얼굴로 어린 딸의 이마를 짚는 엄마의 모습, 학교에서 외톨이처럼 보이는 소녀의 모습, 가족이 다함께 모여 생일 파티를 하고 있는 카드 사이로 삿대질하며 다투고 있는 성인 남녀 사이 불안한 얼굴을 한 작은 아이가 눈에 들어온다. "선생님. 이 카드를 보는데 마음이 불편하네요." 희주의 얼굴을 한 아이를 손가락으로 가리키며 말했다. "아이는 몇 살일까요?" 상담사의 질문에 9살 무렵의 희주가 떠오른다. "9살쯤 되어 보여요." 검둥이를 처음 본 날도 이때쯤이었다.

서늘한 기운에 이불을 끌어당기며 다시 잠을 청할 무렵. 어디선가 낑낑거리는 소리가 들렸다. 커튼을 살짝 걷고서 밖을 내다보니 새끼 검둥개 한 마리가 어쩔 줄 모르고서 마냥 울고 있었다. 강아지는 어쩌다 혼자 있게 된 건지 걱정되는 마음에 이리저리 뒤척이다 조심스레 현관문을 열고 밖을 나갔다. 조금 전까지만 해도 낑낑거리던 녀석이 어디로 갔는지 온데간데없었다. 엄마는 그 날 아침 손수건으로 한쪽 눈을 가린 채 아침을 차려 주었고 희주는 아무 말 없이 밥을 먹었다. 문을 통해 들려오던 고함 소리, 비명 소리, 무언가 바닥에 떨어지는 둔탁한 소리에 홀로 웅크린 채 떨었던 지난밤의 기억이 생생하게 살아났다. 아빠는 어디로 갔는지 아침에 보이지 않았다. "니가 말리면 엄마랑 아빠도 그만 싸울텐데 좀 말려보지 그랬어." 이모의 목소리가 희주를 괴롭혔다. 내가 말렸어야 했는데, 내가 말렸어야 했는데 무서워서 아무 말도 하지 못한 자신이 싫었다. 꾸역꾸역 입에 밥을 밀어 넣는 자신을 혐오했다. 엄마는 늘 말이 없고 조금은 서글픈 얼굴을 했고 아빠는 감정의 골이 깊어 누군가를 향해 분노를 쏟아내는 사람이었다. 주로 그 대상은 엄마였지만. 유년 시절 내내, 그리고 지금까지도 희주는 그 안에 살았다. 부모의 기분에 따라 같이 기뻤고 울었고 떨었다. 엄마를 기쁘게 하고 싶어 마음을 다해 할 수 있는 일들을 알아서 했고 그들의 기분을 애써 살폈다. 교실에서는 그림처럼 앉아있었다. 말 없는 아이. 4월 무렵에는 친구들도 희주에게 말을 걸지 않았고 그저 앉아서 책만 읽었다. 읽었던 학급 문고를 모두 다 읽었지만 다시 읽고 또 읽었다. 글을 읽지 않고 글씨만 들여다보고 있을 때도 있었는데 아이들과 어울리는 쪽보다 그 편이 맘 편했다. 아이들의 웃음소리, 다투는 소리에도 희주는 관심이 없었다. 웃지도 울지도 화내지도 않는 아이. 이런 희주를 보고 누군가는 착하다고 말했고 누군가는 기분 나쁘다며 뒤에서 쑥덕거렸다. 누가 뭐라고 하건 희주는 가만히 있었다. 교과서를 펴고 수업을 듣고 열심히 청소를 했다. 불편함을 표현하고 요구하는 건 희주가 할 수 있는 일이 아니었다. 그날 하교길에 검둥개를 다시 봤다. 그 개는 동네를 어슬렁거리며 누군가를 찾고 있는 듯 보였고 그 날 새벽에 봤을 때와는 달리 까만 털에 윤기가 흘렀다. '재는 주인이 없나?' 검둥개를 빤히 쳐다보다 눈이 마주쳤다. 자신을 향해 다가오는 검둥개가 무서워 얼른 고개를 숙인 채 집으로 걸어갔다. 열 발자국 쯤 걸어갔을 무렵 조심스레 뒤돌아보니 검둥개는 보이지 않았다.

"아이는 무엇을 하고 있나요?"

"싸우고 있는 부모님을 보고 있어요."

"부모님께서는 어떤 문제로 주로 다투셨을까요?"

"아버지가 술을 굉장히 자주 드세요. 엄마는 그런 아버지를 못마땅해 하셨고 그것 때문에 자주 다투셨던 것 같아요. 평상시에도 자주 화를 내시고 소리를 지르셨는데 술을 마시고 오시면 더 그러셨어요. 아버지께서 술을 드신 날이면 저 멀리서부터 노래 소리가 집까지 들려왔는데 그럴 때면 재빨리 방으로 들어가 이불을 뒤집어썼던 기억이 나요. 이불 속에서 눈을 꼭 감고 오늘은 제발 무사히 지나가기를 바랐어요."

"아이의 마음은 어떤가요?"

"무서워요." 말하는 희주의 목이 메였다. "무섭고 불안해요, 모든 게 제, 제 탓, 인 것만 같아요." 티슈 한 장을 뽑아 눈가를 닦았다.

"아이가 겪고 있는 공포와 두려움을 함께해 줄 수 있는 사람이 있을까요?"

희주는 할머니를 떠올렸다. 내 강아지하고 엉덩이를 두들겨주시던 까칠까칠한 할머니 손을 다시 만져보고 싶다는 생각을 했다. 아빠가 엄마를 때리고 집을 나간 날이면 할머니는 가만 가만 희주의 등을 쓰다듬어 주셨고 희주는 그런 할머니 무릎을 베고서 있었던 일들을 종알종알 떠들어댔었다. 일하는 엄마 대신에 할머니는 집안일을 도맡아 해주셨고 희주의 마음을 도닥여주는 유일한 대상이었다. 손주 간식 사다 주려고 집 앞 슈퍼에 나갔다 빙판길에 넘어지고 나신 뒤부터 할머니는 병원 생활을 하셨다. 고관절 골절술을 받으셨고 그 후로는 기력이 많이 떨어져 잘 걷지 못하셨다. 대학 병원, 요양 병원, 요양원 순으로 할머니의 거처는 바뀌었고 할머니의 빈자리는 너무 컸다. 너무 보고 싶어 딱 한 번 할머니 우리 집에서 같이 살면 안 되느냐고 엄마에게 물었는데 어쩔 수 없다는 답이 돌아왔다. 가끔 병원에 들러 뵙는 할머니의 모습은 예전과는 달랐다. 가슴에 묵직한 뭔가가 걸린 것만 같았다. 할머니의 예쁨을 받기만 했던 희주는 어떻게 할머니를 대해야 할 지 몰랐다. 할머니의 말을 알아듣지 못할 때면 할머니를 속상하게 할까봐 두려웠고 볼이 쏙 패인 할머니의 얼굴을 볼 때면 자꾸만 무서워졌다. 스러져가는 삶을 마주하기에 희주는 너무 어렸다. 희주는 할머니의 눈을 슬쩍 피하고 손을 꼭 잡았다. 할머니는 희주를 보며 집에 가자, 집에 가자라는 말만 하셨고 엄마와 희주는 그 말을 못 들은 척했다. 요양원 방침 상 면회 시간은 딱 30분만 주어졌고 언제나 "할머니 또 올께요"라는 말을 남긴 채 뒤돌아섰다. 할머니의 눈가에도 눈물이 맺혔다.

할머니를 보고 집에 올 때면 엄마는 빨래를 삶았다. 가스레인지 앞에 한참을 선채로 부글대는 걸레를 꾹꾹 눌러댔다. 엄마의 삶에 진 얼룩들은 깨끗이 지워내진 못하지만 걸레에 묻은 얼룩은 깨끗이 지워 내리라 다짐한 사람처럼 오랫동안 삶통 앞에서 땀을 흘렀다. 집안에 세제 냄새가 퍼지기 시작할 때면 희주는 혼자 뒷산에 올랐다. 집을 가득 채운 세제 냄새를 맡고 있으면 이상하게 눈물이 났다. 엄마는 왜 울지도 않는 걸까. 엄마가 웃는 모습을 본 기억이 나지 않았다. 할머니와 같이 심은 뒷산 무화과나무는 이제 희주보다도 엄마보다도 더 컸다. 아직 덜 익은 열매를 하나 따니 흰 진액이 나왔다. 진액이 묻은 손등이 가려워 괜히 무화과를 발로 밟았다. 붉은 빛깔이 날 듯 말듯 한 과육이 부드럽게 으깨졌다. 할머니는 이런 무화과도 삶고 건져 식히고 즙을 짜낸 뒤 다시 삶고 식히고를 반복하며 설탕에 졸였다. 할머니가 졸인 무화과를 한 입 베어 물면 달콤한 맛이 입안에 가득했다. 초라한 마음이 반듯하게 펴지는 것 같았다. 나무에 기대어 앉아 흙을 파 구덩이를 만들고 다시 덮기를 반복하다 들꽃을 꺾어 모아 꽃다발을 만들었다. 엄마가 이 꽃을 좋아할까 고민하다 발로 밟아 짓이겨버렸다. 집은 너무나도 조용했다.

할머니는 병원 생활을 오래 견디지 못하셨나. 퇴근하자마자 걸려온 전화를 받는 엄마의 뒷모습이 떨렸다. 장바구니와 식료품 몇 가지가 한참동안 거실에 아무렇게나 놓여 있었다. 할머니와 작별인사도 제대로 하지 못했다. 유언도 없었다. 그저 집에 가자, 집에 가자가 전부였다. 할머니를 화장할 때 엄마가 우는 모습을 처음 보았다. 시퍼렇게 멍든 눈을 했을 때도 울지 않던 엄마가 울었다. 희주도 옆에 앉아 함께 울었다. 그 날 희주 마음 속 스위치가 꺼졌다. 불 꺼진 직후의 방은 너무나도 깜깜하다. 앞이 흐릿하게나마 보이게 되면 조심스레 벽을 찾아 헤매다 무엇엔가 걸려 넘어지곤 한다. 할머니가 돌아가신 뒤로 희주는 늘 흐릿하고 어두운 방 같았다. 다칠까봐 꼼짝 않고 자신의 방에 스스로 갇혀있었다.

"희주씨, 이 아이에게 말을 걸어볼까요. 나는 어른이 된 희주라고 아이에게 인사해보세요." 훌쩍이는 소리만 들렸다. "아이가 뭐라고 희주씨에게 말하나요?"

"저를 흘깃 보고 말아요. 저와 말하고 싶지 않대요."

"아이에게 이 자리에 있을지 나가고 싶은지 물어보세요." 목이 메어서 한참을 꺽꺽거리는 소리를 내다 간신히 대답한다.

"나가고 싶대요."

"희주 씨 숨을 쉬어 볼까요, 하나, 둘. 휴. 잘하고 있어요." "아이에게 어디로 가고 싶은지 물어보세요."

희주는 어릴 적 할머니와 함께 갔던 약수터를 떠올렸다. 다 마신 음료수 패트병을 한 손에 들고 새벽마다 오르던 나지막한 산. 약수물과 개울물과 이것저것 합쳐진 큰 저수지가 근처에 있어서 산을 오르기 전에 저수지에다 돌을 던지곤 했었다. 지금 희주와 할머니, 어린 희주는 함께 손을 잡고 나란히 걷는다. 저수지를 따라 걷다 아이의 옆모습을 힐끔 바라보니 금방이라도 울 것 같은 얼굴을 하고 있다. 할머니는 어린 희주의 등을 가만 가만 토닥여준다. 아이구 내 강아지가 눈물이 그렁그렁하네.

"내가 너를 몰라줘서, 힘든 너를 못 본 척 해서 미안해. 이제야 너를 보려 해서 정말 미안해." 울음을 삼켜가며 어린 희주에게 토해내듯 힘겹게 털어놓은 말. 9살 희주는 그제서야 희미하게 웃었다. 눈빛으로 나눈 무수히 많은 이야기들. 그리고 그리운 할머니. “선생님. 저 엄마가 아픈데도 모른 척 했어요. 두 분이 싸우고 있어도 못 들은 척 숨었어요. 할머니의 패인 볼을 마주할 수 없어서, 돌아가실 까봐 무서워서. 혼자 남게 되는 게 너무 무서워서 아무 일도 아닌 것처럼 굴었어요. 선생님. 너무 후회가 돼요. 계속 숨고만 있는 제 자신이 너무 싫어요. 일터에서도 어디에 있어도 저는 아무것도 아닌 사람이에요.”

“희주씨 잘못이 아니에요. 혼자서 얼마나 외롭고 무서웠을까요. 지금 그 감정에 잠시 머물러 볼까요.” 울음이 잦아들자 상담사는 희주가 갖고 있는 죄책감, 특히 아버지에 대해 품고 있는 적의와 죄의식, 자신에 대한 부정적인 감정 모두 비워낼 수 있다고 했다. 그것들을 모두 모아 땅 속에 파묻을 수도 있고 저수지에 던져버릴 수도 있다고. 희주는 이 모든 것들을 꽁꽁 묶어 저수지 깊은 곳에 내던져버리고 싶었다. 엉겨 붙어 자신이 되어버린 감정들 모두 긁어내 날려버리고 싶었다. 상담사가 빈 플라스틱 물통과 스카프를 건네줬다. 버려도 되나. 버릴 수 있는 걸까. 그저 그런 시늉이라도 버리고 나면 달라지는 걸까. 아빠를 다시 마주할 수 있을까 생각하며 스카프를 빈 물통에 질끈 동여맸다. 두 번, 세 번, 꽁꽁 묶었다. 다시는 풀리지 않도록 손아귀에 힘을 꽉 주고서 세게 묶었다. 주저하듯 연달아 큰 숨을 내리쉬고 나서 벌떡 일어나 물통을 멀리 멀리 던져버렸다. 온 힘을 다해서 멀리 던졌다. 후련했다. 후련한데도 쉴 새 없이 눈물이 흘러 티셔츠가 젖었다. “참 잘하셨어요. 방금 저수지 깊은 바닥까지, 다시는 찾을 수 없는 곳까지 희주씨가 던져버렸어요. 이제 비워버린 그 마음 속 빈자리를 원하는 것들로 채워보세요."

첫 상담은 끝났다. 선생님은 다음 상담을 받겠냐고 물어보았고 다음 상담 예약을 하고 가면 성격 검사를 무료로 받을 수 있다고 했다. 희주는 망설이다 연락드리겠다고 하고 상담소를 나왔다. 여전히 날이 밝았고 거리에는 사람들이 많았다. 십 여분 남짓 걸어 집에 도착하니 검둥이는 쌔근쌔근 숨을 쉬며 자고 있었다. 그 얼굴이 참 맑았다.

희주는 오랜만에 서울역으로 가는 버스를 탔다. 엄마와 아버지를 본 지가 언제였는지 기억이 잘 나지 않았다. 영주 언니에게 주말 동안 검둥이 밥만 좀 챙겨달라고 부탁했더니 데리고 있겠다고 해서 마음이 놓였다. 주말이라 버스 안은 붐볐고 차도 막혔다. 종각역쯤 가서는 버스기사님이 창문을 열고 상황을 살폈고 오늘 무슨 선생님들 집회가 있어서 노선을 변경해 운영해야겠다고 했다. 희주는 바로 버스에서 내렸다. 젊은 선생님의 죽음을 되돌릴 순 없지만 그 자리에 잠시나마 함께하고 싶었다. 눈앞에 펼쳐진 검은 물결. 끝없이 이어진 검은 행렬을 마주하니 왈칵 눈물이 났다. 집회 중심부와는 멀리 떨어진 곳에 돗자리도 없이 주저앉았다. 목소리가 잘 들리지 않아 두리번거리고 있으니 옆에 앉은 아주머니께서 유투브에 생중계를 한다며 알려주었다. 질서정연하게 앉아서 목소리를 내고 있는 사람들. 하나의 목소리로 외친 음성이 메아리쳤다. 희주는 그 사람들 사이에 앉아 죽은 선생님에 대해 생각했고, 자신이 겪었던 일에 대해 생각했다. 말하지 못했던, 말할 수 없었던 일들. 말했더라도 대수롭지 않게 지나갈 일들에 대해 생각했다. 단상에 오른 사람들은 각자가 겪었던 기막힌 일들, 폭력이라고 밖에 말할 수 없는 일들에 대해 울며 터놓았고, 자책과 반성과 분노가 함께했다. 자신이 죽은 교사의 아버지라 말하는 이는 중간에 무대에 올라가 내게도 말할 시간을 달라고 절규했다. 눌렀던 목소리들의 외침, 점들이 모여 만들어낸 거대한 물결 속에 희주도 있었다. 갑자기 빗방울이 후두둑 떨어졌다. 챙겨왔던 가방을 머리위로 얹어 비를 막으려 하니 아까 그 아주머니가 아무 말도 없이 우산을 씌워주셨다. 꿈꾸지 않으면 사는 게 아니라고. 생을 마감한 선생님의 교실에 붙어있던 노래라고 했다. 선생님은 죽었는데 노래는 남아서 꿈과 희망을 말하고 있었다. 감히 희망을, 사랑을 노래하자는 아름다운 검은 목소리가 울려 퍼졌다. 희주의 마음에도 무언가 솟구쳤다.

'검둥이는 잘 있어. 걱정 말고 잘 다녀와.'

언니는 능소화 가득 핀 공원을 쫑쫑 거리며 산책하고 있는 검둥이 사진을 보내주었다. 6살 난 언니 아들의 걸음에 맞춰 정답게 걷고 있는 검둥이 사진이었다. 할머니가 가장 좋아하시던 능소화가 핀 풍경이었다.

같은 사람

순간

23년 1월 오후, 하나는 오전 아르바이트가 끝났다. 그녀는 지하철을 타고 두 정거장 거리인 합정역에서 내렸다. 2번 출구 밖으로 나가는 에스컬레이터에 올랐다. 찬바람이 그녀의 앞머리를 흩트렸다. 그녀는 패딩 주머니에 손을 깊게 찔러 넣어 어깨를 웅크렸다. 역 바로 옆에 골목으로 들어서면 색이 바랜 적색의 건물이 있었다. 하나와 가현이 함께 사용하는 작업실이 건물 반지하에 있었다. 합정역에 위치한 것치고는 보증금 없이 월세 45만 원인 좋은 가격에 구한 작업실이었다. 가현과 같이 사용하다보니 절약이 되었지만, 하나는 불편한 상황들이 많았다. 작업실을 옮긴 후 2년동안 온갖 좋지 않은 일들이 일어났다. 사랑하는 연인과 이별을 하고, 함께 공연하는 사람들과 멀어졌다. 건강도 같이 악화되기 시작했다. 그럼에도 하나는 가격이 메리트 있었기에 가현과 함께 작업실을 사용하고 있었다.

작업실 밖에서는 가현이 작업하는 소리가 울렸는데 여느 때 없이 한 남자의 말소리가 함께 섞여 들려왔다.

"하나 왔니 수고했어~"

"하이하이~"

하나는 가현의 뒷통수에 인사를 했다. 뒤에서 보니 가현의 광대가 볼록 솟아있었다. 하나는 책상 옆 한 뼘 안되는 공간에서 간의 의자를 꺼내 가현에게 물었다.

"이게 뭐야. 누구야? 이번에 새로 입덕한 사람이야?"

"아니 그건 아니고. 야 미쳤어. 진짜 완전 설레. 처음부터 봐봐. 얼른."

가현은 하나의 어깨에 양 손을 살포시 올리며 말했다. 하나는 가현의 수줍은 손이 오랜만이었다. 가현의 앞에 있는 모니터에 두 개의 화면이 떠있었다. 한 화면은 여러 개의 가상 악기가 나열되어 있었고, 또 다른 화면에는 말소리의 출처인 보이는 라디오였다. 무엇이 가현의 소녀같은 모습을 꺼냈을까. 하나는 가현과 함께 영상을 정주행했다.

보라색 배경 앞에 한 남자가 화면에 가득 차 있었다. 날렵하고 차가운 인상이었다. 반면 인상과 달리 그의 목소리는 눈보라 치는 밤, 벽난로 앞에서 코코아를 마신 것 같았다. 포근하고 따뜻한 중저음의 목소리였다. 그는 야근하고 퇴근하는 팬과 통화했다. '택시 기사님께 잘 가달라고 전해주세요. 기사님~! 잘 부탁드려요~! 누나도 조심히 가구 오늘 너무 수고했어요.' 뚝. 약 6분짜리의 영상이었다. 순식간의 지나간 느낌에 하나의 입은 오므려졌다.

"오…야…얘 잘한다…"

"그치 진짜 배운놈이야 이거."

하나는 그나마 머리 속에 있는 모든 걸 쥐어짜낸 한마디였다. 옆에서 눈을 반짝거리는 가현과 마주쳤다. 하나는 가현을 보고 어떠한 리액션을 취해야 하는지 몰랐다. 가현의 눈을 피해 화면 안에 멈춰있는 그를 보았다. 유해한 남자 사람 친구인 것처럼 친해보이면서 연인같아 보이는 그의 모습은 다르긴 했다. 하나에게는 단지 그것 뿐이었다.

*

하나가 가현을 처음 알게된 것은 고등학교 1학년 때였다. 다른 반이었지만 같은 과였고, 같은 기숙사 건물이었다. 스쳐 지나가면 아는 듯한 눈빛을 흘끗이 보내는 사이였다. 가현의 얼굴은 낯가리는 고양이의 모습과 같았다. 가현과 하나의 공통점은 섬에서 왔다는 것이다. 하지만 그녀들에게 섬에서 온 것은 큰 공감대가 되지 않았다. 당시 타지에서 적응하느라 바빴던 하나와 가현은 친해지게 된 계기가 있었다.

새벽 4시, 가로등의 불이 꺼지지도 않은 시간이었다. 하나는 빳빳한 교복마이까지 단단히 입고 교문 앞에 있었다. 같은 과 선배들 3명과 동기 1명이 같이 서있었다. 동기 1명은 가현이었다. 가현은 핸

드폰을 보고 있었다. 폰 안에는 하나가 자주 들어가는 파랑새 앱이 가현의 얼굴을 환하게 비추고 있었다. 어플 안에서는 한 남자가 계속해서 등장하고 있었다. 하나도 익숙한 얼굴이었다.

“어… 저기 혹시 좋아하는 아이돌 있어?”

하나가 가현에게 한 첫 질문이었다. 하나도 여러 번 하트를 보냈던 한 남자의 사진이여서 그런지 용기가 생겼다.

“어…나 방탄 슈가…”

길고양이들도 싸움을 멈춘 새벽이었다. 하나는 가현의 대답을 듣자마자 마음 속에서는 팡파레가 터졌다. ‘역시! 내 예상은 틀리지 않았어!’ 하나만 아는 외침이었다. 하나의 눈에 가로등 불빛이 반사가 되어 빛났다.

“헙 나도! 나도 방탄 좋아해!”

“진짜? 누구 좋아해?”

“나는 지민 좋아해.”

하나와 가현의 얼굴은 맞댈 듯 말 듯했다. 비밀 이야기는 아니었다. 그럼에도 하나와 가현은 누구도 들어서는 안되는 것처럼 이야기 하기 전에 주변을 한 번 더 슬쩍 둘러봤다.

“가현아. 너는 방탄 언제부터 좋아했어?”

뭐든 질문하면 필수로 넘어가야하는 코스가 있지 않는가. 한 커플에게 ‘너네는 사귄 지 며칠됐어?’ 라고 필수로 질문하는 것처럼 말이다. 하나의 질문에 가현은 눈알을 한번 굴리더니 대답했다.

“나 데뷔 때부터 좋아했어”

하나는 가현의 일수에 놀라 새어나올듯 헉하는 소리를 막으며 말했다.

“ㅇ...완전 선배님이네. 나는 2년전에 자컨이 알고리즘에 떠서 그거 보고 좋아하게 됐어”

“에엥? 완전 신기하다. 그 때 입덕을 할 수가 있구나. 지민은 어쩌다 좋아하게 됐어?”

가현은 하나가 신기한듯 눈썹을 올리고 입술을 말았다가 떼며 말했다.

“항상 연습 영상이나 비하인드 영상 보면 항상 구석에서 집중하고 있잖아. 그 집중력이 완벽을 추구하고 싶은 열망이여서 그게 멋있었어. 그리고 무대도 잘 해내잖아. 그래서 좋아. 가현이 너는 슈가 어떤 이유로 좋아했어?” 하나는 가현에게 되려 물었다.

“나는 음... 민윤기가 예전부터 음악을 대하는 자세가 좋았어. 작업영상 올라올 때도 그렇고 자기 일을 얼마나 사랑하는지 보여서 좋아. 나도 그렇게 되고 싶어.”

가현은 말하면서 고양이의 온순한 눈이 아닌 사냥감을 찾은 눈처럼 올곧았다.

하나와 가현에게는 아이돌이란 선망의 대상이었다. 그녀들에게는 당시 그들과 비슷한 점이 있었기에 더 특별했다. 타지, 음악, 연습실에서의 모습 등등. 그들은 곡들을 통해 노력하면 뭐든 될 것이라고. 할 수 있다고. 해낼 것이라고 말했다. 그 메세지로 인해 하나와 가현의 마음 속에 내포되어 있는 불안이 기쁨과 희망이 되었고, 특히나 낯선 타지에서 적응하고 있었던 하나와 가현에게는 큰 위로가 되었다.

교문이 열렸다. 하나와 가현은 약속한 것처럼 연습실을 향해 달렸다. 연습실 방이 기재된 빈칸이 나열된 종이가 있었다. 하나와 가현은 항상 썼었던 방 옆에 이름을 기재했다.

"하나야 우리 좀 연습하다가 같이 햄버거 먹으러 갈래?"

"오 좋아 가자"

가현은 조금씩 경계를 풀고 꼬리로 터치하는 고양이 같았다. 하나는 그런 가현과 더 많은 대화를 나누고 싶었다.

하나는 학교 앞 햄버거집의 아침메뉴를 선호하지 않았다. 푹푹하고 질긴 치아바타 사이로 느끼한 치즈와 기름진 패티는 하나의 속에 너무 최악인 음식이었다. 햄버거 세트에서 하나가 먹을 수 있었던건 보들한 해쉬브라운과 음료 뿐이었다. 하나는 그녀와 있는 시간을 사는 것이라고 생각했다. 하나는 가현과 같은 햄버거세트를 시켰다. 빵속은 촉촉했고, 치즈의 풍미가 살아났다. 고기도 부드러웠다. 전에 먹었던 것과 비슷했지만 달랐다.

학년이 바뀌면 기숙사를 이동해야 했다. 4개의 기숙사가 있었다. 랜덤배정이라서 어디로 가는지 예상할 수 없었다. 다만, 하나와 가현은 같은 기숙사, 같은 방을 쓰길 원했다.

기숙사생 대부분이 본가에 가고 집에 가지 않은 몇몇이 남아 있던 주말이었다. 하나와 가현 역시 집에 가기에 오랜 시간이 걸려 기숙사에서 주말을 보내고 있었다.

"실용음악과 가현학생, 하나학생 방에 있으면 사감실로 내려오세요."

호랑이 같은 사감선생님의 호출이었다. 하나는 가현의 방에 있었다. 그들은 서로의 다리가 뒤엉킨 듯 누워있었다. 같이 배구애니를 보고있었다. 하나와 가현은 호출 방송에 심장이 떨렸다. 대부분 사감선생님의 호출은 벌점 받으러 간다는 생각으로 가야했었다. 하나와 가현은 누워있었다는 증거를 없애는 듯 구겨진 잠옷을 손으로 잡고 양옆으로 폈다. 하나와 가현은 사감실 문에 노크를 서로에게 재촉했다. 결국 하나가 두드렸다. 안에서 들어오라는 단호한 목소리가 울렸다. 하나와 가현은 죄 지은 것처럼 사감선생님을 쳐다보지 못했다.

"너희 주말인데 뭐하고 있었니?"

"아 저희 로비 소파에서 그냥 누워있었어요."

하나는 사감선생님의 눈을 보며 거짓말을 했다. 추운 겨울이었다. 하나는 여름에 입었던 반팔 반바지를 입고 있었다. 목 뒤에 식은땀이 조금씩 흘렀다. 사감선생님의 말투에는 사투리가 섞여있어 더 무서웠다.

"아 둘을 부른 이유가 지금 기숙사에 실용음악과 학생이 너거 둘밖에 없어가 괜찮다 하면 내년에 같은 방으로 붙여도 되겠나"

"어어…네!!! 완전 좋아요!!!!"

"그럼 그렇게 알고 있을게 너거들 싸워도 변경은 없어"

사감선생님의 부드러운 말투를 처음 들어봤다. 사감선생님의 말씀을 듣자마자 하나와 가현은 죄 지은 모습이 온데간데없이 뱅긋 미소를 지었다.

하나와 가현은 새로운 기숙사방에 들어갔다. 가현이 좋아하는 햄버거가게 뒷쪽에 있었다. 두개의 방이 있었다. 그럼에도 하나와 가현은 독방을 쓰지 않았다. 하나와 가현은 거실에 있는 책상이 마음에 들었다. 두 개의 책상선반이 마주보며 있었다. 하나와 가현은 개인짐을 꺼냈다. 포스터, 앨범, 꽃, 다이어리, 전공책, 향수, 향초 등등. 그녀들이 가지고 있던 짐들은 비슷했다. 서로가 정리하면서도 놀랐다.

서바이벌 프로그램이 유행할 때였다. 시청자가 투표를 해 아이돌그룹이 만들어지는 프로그램이 인기가 많았다. 그 투표에 하나와 가현은 빠지지 않았다. 그 프로그램의 마지막화를 보면서 울고 웃기도 하였다. 하나와 가현의 최애는 달랐다. 다행히도 같이 데뷔했다. 그 그룹이 광고했던 과자가 있었다. 과자 포장박스에는 전신 사진이 붙어있었다. 과자를 사면 단체 대형 포스터도 같이 제공했다. 하나와 가현은 학교가 끝나자마자 마트로 달려갔다. 서로의 최애 사진이 있는 포장박스를 유심히 찾았다. 포스터는 기숙사방 베란다 창문에 대어보았다. 좌우대칭과 위치를 매의 눈으로 봤다. 투명 테이프를 최대한 얇고 접착면이 있는 쪽으로 둥글게 말았다. 마음에 드는 위치에 포스터를 붙였다. 과자는 박스를 뒤집어 안에서 모조리 다 꺼냈다. 빈 포장박스를 예쁘게 폈다. 가위날이 사진에 닿지 않게 조심히 선을 따라 잘랐다. 자른 사진 뒤에 테이프를 말아 포스터 옆에 일렬로 붙였다. 하나둘씩 늘어가며 베란다 창문에 붙일 곳이 없을 정도였다.

하나와 가현이 계속 같이 살았던 것은 아니었다. 가현의 동생이 고등학교로 올라오면서부터였다. 가현의 동생도 같은 과로 입학하게 되었다. 먼 타지에서 온 만큼 동생도 기숙사 생활을 했었는데 비용이 두 배로 들었다. 가현은 동생과 기숙사를 나가 10평정도되는 원룸을 구해 살았다. 빈 가현의 자리는 다른 친구로 채워졌다. 가현과의 생활과는 너무나도 달랐다. 가현이 기숙사를 떠난 뒤로 하나는 기숙사에 있는 시간보다 학교에 있는 시간이 더 좋았다.

하나는 2년간 살았던 기숙사를 나왔다. 하나와 가현은 성인이 되었다. 하나는 친구의 소개로 신림에서 자취를 시작했다. 가현은 대학 기숙사에 들어갔다.

하나와 가현은 지인의 소개로 같은 공연을 하게 되었다. 특히나 가현은 다른 합주도 있어 매일 서울에 왔었다. 하나와 가현은 합정과 홍대에서 자주 보았다. 고등학교 때와 다를 것 없어서 그런지 서울이 아닌 것 같았다.

"하나야. 나 신림으로 이사갈까봐."

1시간 정도의 공연합주를 한 뒤에 쉬는 시간이었다. 흡연을 하지 않는 하나와 가현만이 합주실에 남아있었다. 가현은 공연곡을 익숙한 듯 힘 없이 빠른 속도로 치며 하나에게 말했다.

"엥? 갑자기?"

"갑자기가 아니야. 합주가 너무 많아. 신림은 교통도 괜찮고 너 있으니까 갈래"

땅바닥에 힘없이 앉아 합주 영상을 모니터링 하고 있었던 하나는 몸을 일으켰다. 하나는 가현의 말을 듣고 가현이 지금 지쳐서 그냥

하는 말인가보다하고 하나는 생각했다.

하나의 생각이 무색하게 가현의 이사는 속전속결로 이루어졌다. 하나는 가현이 오고나서 복잡했던 도시의 소음이 단일해졌다. 공연 합주가 끝난 후에는 도림천에 갔다. 빈틈 사이에 나무 거스러미가 튀어나와있던 단이 있었다. 하나와 가현은 그곳에 앉아 물방울이 맺힌 맥주를 마셨다. 일과 마지막에 가지 않으면 섭섭할 정도였다.

하나와 가현은 각자의 집이나 학교연습실에서 연습했다. 학교연습실은 시간제한이 있었다. 집은 방음이 되질 않았다. 개인연습실을 쓰기에는 월세가 두 배였다. 가현도 같은 고민을 했었다.

"하… 가현아…개인연습실을 구하고 싶은데 너무 비싸다.어떡하냐?"

"야 안그래도 나도. 옆집 너무 시끄러워서 작업이 되질 않는다."

하나와 가현의 사이에는 한숨만 나돌았다. 서로 생각이 많아져 관자놀이만 짚었다. 그러다 문득 생각난 가현이 손뼉을 치며 말했다.

"야. 하나야 아니면 우리 작업실 같이 쓸래?"

하나는 가현의 제안이 나쁘지 않았다. 오히려 하나는 손으로 무릎을 치고 손뼉을 칠 정도로 좋았다. 하나와 가현은 여러 작업실이 올라오는 사이트로 들어갔다. 괜찮은 시세의 방이 있으면 공유했다. 그렇게 찾게 된 곳이 합정역 부근 작업실이었다.

*

하나는 오랜만에 크게 앓아 누웠다. 코로나가 유행이었다. 하나는 전날부터 전구증상이 있었다. 몸 전체를 모래주머니로 누르는 것 같았다. 하나는 침대에서 일어났다. 하나는 잠옷차림으로 무릎까지 오는 패딩을 옷장에서 꺼냈다. 하나는 슬리퍼를 신고 근처 보건소로 갔다.

하나는 신속항원검사를 받았다. 점심을 먹고나니 결과가 나와있었다. '[Web발신] 구하나님 실시하신 코로나 검사결과 양성입니다.'라는 문자가 와있었다. 합법적으로 집 밖을 나가지 말라는 국가 요청이었다. 하나는 사람을 안 만날 명분이 생겨서 좋았다.

하나는 결과를 알고나니 머리와 목이 칼로 찌르는 것처럼 아파왔다. 침대에 거대한 자석을 붙여놓은 것처럼 일어나기 힘들었다. 큰 창 너머의 날씨는 너무나도 좋았다. 하나의 공간은 너무나 고요했다. 아무 것도 하지 못했다. 하나는 거대한 우주 속에서 홀로 떠도는 것 같았다. 하나는 과거의 일들이 무의식적으로 지나갔다. 하나는 눈을 감았다. 지워버리고 싶은 기억에 하나는 무너졌다.

노을이 기울어져 집안에 들어왔다. 하나는 몸을 기울여 휴대폰을 잡았다. 무언가 생각난 듯 하나는 유0브를 켰다. '임대니 택시'를 검색했다. 최근에 업로드 된 영상부터 쭉 빨간줄이 그어졌다. 하나는 관련된 영상을 한참 보았다. 하나는 그제서야 가현이 설레한 이유를 깨달았다. 하나는 그에게 드는 마음을 부정하고 싶었다. 복잡스러운 마음이었다. 그의 결점을 찾기 위해 시간낭비를 했다. 하나는 그를 알면 알수록 신기했다. 그는 날렵하고 차가운 외모였다. 조용하고 다정했다. 상대의 이야기를 듣는걸 좋아했다. 그가 좋아하는 곡은 'Chet Baker – I'm Falling Love Too Easily' 였다. 하나가 제일 좋아하는 곡이었다. 그가 장미다발을 품에 안으며 미소를 지을 때면 천사를 보는 것 같았다. 하나는 그가 뻔하지만 뻔하지 않게 다가왔다.

평일 밤 10시에는 그가 라디오를 진행했다. 하나는 실시간으로 처음봤다. 화면 안 그는 보라색 배경 앞에서 다정히 웃고 있었다. 시간 가는 줄 모른 채 하나는 꽃받침 자세로 집중했다. 그는 마지막으로 삶이 힘들고 지쳐 위로 받고 싶은 팬의 사연을 읽었다.

'근데… 어… 울면 무너져 내릴까봐 울지 못하겠다고 하는거 맞는 말이고, 저도 사실 이런 경우때문에 좀 많이 참는 경우가 있는데 무너지면 뭐 어떻습니까. 무너지지도 않아. 그리고 너무 바빠도 … 자기를 먼저 챙기고 시간 조금이라도 쪼개서 자기 좋은거 , 행복한거 하며 살았으면 좋겠어요. 너무 수고했어. 사랑해요.'

하나는 그의 말에 그동안 쌓여왔던 돌덩이들이 무너진 기분이었다. 하나가 바래왔던 말이었다.

하나는 10일 간의 격리가 끝났다. 하나는 가현과 합정역 2번 출구에서 만나기로 했다. 오랜만에 보는 가현은 눈 아래 다크서클이 짙어진 듯 했다.

"너 다크서클 뭐야!"

"넌 10일간 쉬어서 얼굴 좋아보인다?"

하나와 가현은 서로에게 애정어린 비난의 말을 주고받았다. 하나와 가현은 작업실을 갔다. 가는 3분 동안 어떤 일이 있었는지 쉬지 않고 얘기했다.

“가현아 나 말할 거 있어.”

“뭔데. 좋아하는 사람 생김?”

“오 뭐야. 어떻게 알았냐…?”

하나는 골목 아스팔트 한가운데에 멈춰섰다. 가현은 그런 하나를 보고 익숙한듯 고개를 젓고, 반지하로 내려갔다.

오랜만에 간 작업실은 편안했다. 하나와 가현이 좋아하는 것의 집합체였다. 책상 위에는 하나와 가현이 좋아하는 아이돌의 굿즈가 놓여있었다. 스피커 위에는 넘어질 듯 말 듯한 엽서가 세워져 있었다. 가현은 의자에 앉아 모니터와 여러 장비들을 켰다. 가현은 익숙한듯 유0브를 열었다.

“그래서 누군데.”

이번엔 누구냐는 말투로 가현이 하나에게 물었다. 하나는 가현의 키보드로 손을 가져가 ‘임대니’를 쳤다. 가현은 익숙한 이름에 놀란 듯 소리를 질렀다.

“에엥?!?!?!?!? 너가 얘를??? 저번에 나랑 봤을 때는 미지근했잖아. 이게 뭐야.”

가현의 놀란 모습을 본 하나는 웃겼다. 그리고 부끄러웠다. 하나는 눈앞에 보이는 영상을 가현의 마우스에 손을 대 조용히 눌렀다. 최근에 나온 직캠을 봤다. 하나는 주먹 쥔 양손을 입에 갖다댔다. 가현은 등을 의자에 기대어 봤다. 전과 확연히 바뀐 둘의 모습이었다. 영상이 끝나고 가현은 하나에게 물었다.

"그동안 네가 좋아했던 취향과는 정반대야. 어떻게 된 건데"

"나도 몰라. 너가 영상 보여주고 나서 관심없다가 격리 때 갑자기 뇌리에 꽂혀서 봤어."

"헐 신내림 받았네."

"신내림…?"

"아. 갑자기 정반대의 취향이 확 꽂히면 신내림 받았다고 해."

오랜기간 덕질해온 가현이 말했다. 듣는 사람이 편해지는 나긋나긋한 가현의 목소리였다. 하나는 말하는 가현의 눈을 빤히 쳐다보았다. 그와 같은 고양이 눈이었다. 가현의 말처럼 신내림이었을까. 하나는 가현의 모습과 그가 겹쳐보였다. 하나는 가현과 하루하루를 채워나가는게 좋았다. 어쩌면 가현과 같은 사람이 나타나서 사랑할 확신이 들었을지도 모른다.

카페 에스페란토

박재현

나는 커피를 내리고 있는 제이슨의 옆모습을 흘끗 바라보고는 마우스로 메일을 두어 번 톡톡 건드리다가 끝내 삭제했다. 휴지통 아이콘을 찾아 마저 지우려는데 제이슨이 갑자기 카운터 쪽으로 몸을 틀었다. 나는 움찔하는 손으로 다급히 컴퓨터 화면을 전환하고 제이슨을 바라보며 빠르게 미소를 만들었다. 제이슨은 둥글게 모은 손가락에 입술을 쭉 내밀어 짧게 키스하고는 'Yummy'의 엉덩이춤을 추며 김이 모락모락 나는 스크램블을 내밀었다. 윤기 나는 노란 스크램블은 구름처럼 폭신해 보였다. 적당히 단단해 보이는 양파와 당근이 계란 사이에서 하얗고 발갛게 옹긋봉긋 솟아 있었다. 좋은 색감은 좋은 냄새를 만든다. 선은 음식의 색을 항상 강조했다.

선과 같이한 이후 카페의 메뉴가 풍부해졌다는 것은 이제 부인할 수 없었다. 나는 스크램블을 입에 털어 넣고는 제이슨을 향해 'Thank you'의 엉덩이 춤을 췄다. 땡큐와 웰컴의 춤이 펼쳐졌다. 카페 창가에 기대어 전자담배를 빨던 선은 우리 둘을 쳐다보더니 피식 웃었다. "지랄들 하네."

카페 에스페란토. 약 20평 남짓의 아담한 공간으로 우드 톤의 편안한 분위기로 꾸며져 있다. 입구에는 블랙 입간판이 세워져 있으며 그 옆에는 작은 화분들이 줄지어 서 있다. 카페 안으로 들어서면 낡은 나무 테이블들이 시선을 사로잡는다. 벽은 밝은 베이지색으로 칠해져 있고 곳곳에 제주도의 자연을 담은 작은 사진이 걸려 있다. 손님이 앉을 수 있는 테이블은 네다섯 개 정도로, 각각의 테이블은 넓게 배치되어 있다. 테이블마다 작은 꽃병이 놓여 있어 계절마다 바뀌는 다양한 꽃들이 카페를 더욱 생기 있게 만든다. 창가 쪽에는 커다란 창문이 있다. 제주도의 아름다운 풍경이 한눈에 들어온다. 창문 밖으로 바다가 보이지는 않지만 멀리 보이는 하늘이 그 끝에 맞닿은 바다를 상상하게 해 준다. 창문 옆에는 편안한 의자와 작은 책장이 있어 손님들이 커피를 마시며 책을 읽을 수 있는 공간이 마련되어 있다. 이 자그마한 가게가 바로 우리가 임시로 운영하는 카페였다. 우리는 카페 뒤쪽에 달려 있는 작은 방에서 먹고 자며 생활을 했다.

카페 주방 오른쪽 끝에는 허리 높이의 여닫이 문이 있었다. 문이라고 하기에는 너무 작고 낮으며 검은색에 가까운 갈색으로 칠해져 있어서 잘 보이지도 않았다. 설명을 듣기 전까지는 문이라고 생각하지 못했다. 몸을 완전히 숙여 머리로 여닫이 문을 밀고 안으로 들어가면 창고인지 방인지 모를 작은 공간이 있었다. 방에는 창도 없고 가재도구도 없었다. 구석에 있는 콘센트와 천장의 백열등 하나를 제외하고는 방에는 아무것도 없었다. 환기되지 않는 방 특유의 끈적하고 퀴퀴한 냄새만 배어 있었다. 간신히 세 네 명이 누울 수 있는 크기의 방이었다. 방의 불을 끄면 완벽하게 짙은 어둠이 곧바로 내려졌다. 콘센트 근처의 핸드폰 충전 단자만이 유일하게 반딧불이처럼 빛났다. 제이슨이 이 카페를 선택한 이유는 이 방 때문이었다. 물론 잘 곳이 필요하기도 했지만 제이슨은 이 방을 마음에 들어했다. 불만 끄면 티 하나 없는 매끄러운 어둠이 방에 가득 찬다고 했다. 그 어둠이 결이 좋다고 했다. 어두워진 방은 그 끝을 알 수 없게 넓어져 오히려 쾌적해진다고 했다. 그럴듯했지만 역시 너무 좁긴 했다. 선이 합류한 이후 셋은 그 방에서 같이 잤다. 그리고 이 방에서 제이슨과 선은 섹스를 했다.

처음에는 숨소리로 시작했다. 나는 살며시 눈을 떴지만 방 안의 완벽한 어둠 때문에 눈을 감고 있었을 때와 차이는 없었다. 하지만 어둠을 노려보고 있으면 소리의 울렁거림이 보이는 것 같았다. 방 안은 잠들어 있지 않았다. 여자의 숨소리가 있었고 남자의 헐떡임이 있었다. 공기와 천, 천과 살결, 살결과 살결이 서로를 비비며 다양한 소리를 만들어냈다. 선은 쾌락의 목소리를 뱉어냈다. 높은 음역대의 목소리는 흩뿌려 있던 다른 소리들을 밀어내고 높이 솟아올랐다. 몸을 일으키는 소리가 들렸고, 이불을 걷어내는 소리가 들렸고, 몸이 몸 위로 올라가는 소리가 들렸다. 제이슨의 숨소리는 공기 외에 다른 것을 갈구하고 있었다. 목마른 신음이 시작되고 신음은 다른 파고를 기다렸다. 살과 근육과 체액의 부딪힘은 파도처럼 방 안에 차올랐다. 저 깊숙한 곳에서부터 길어 나오는 숨소리는 이미 온몸의 소리였다. 남자는 언제고 날아갈 듯한 여인의 소리를 잡아 당겼다.

내 몸도 다양한 소리에 휩싸여 발갛게 달아올랐다. 예민해질 대로 예민해진 나의 촉감은 방 안의 모든 소리를 건드려보고 있었다. 방을 가득 채운 야들야들한 소리들은 내 살갗에 내려앉아 간질였다. 간지러움이 커질수록 몸의 들썩거림을 통제할 수 없었다. 어느덧 뭉쳐진 공기덩어리가 목구멍으로 내려왔다. 나는 공기덩어리를 삼켜버리고 소리 내지 않기 위해 힘을 다해 노력했지만, 삼 년 넘게 지기만 했던 게임을 하루아침에 이길 수는 없는 노릇이었다. 검은 공기 덩어리는 체념 섞인 한숨과 함께 입 밖으로 튀어나갔다.

"Bull Shit!"

검은 공기 덩어리는 연달아 뿜어 나왔다.

“야 씨발 야. Fuck”

갑작스러운 소리에 선과 제이슨은 움직임을 멈췄다. 방 안의 어둠보다 짙은 침묵이 잠시 흘렀다. 하지만 선은 다시 움직이기 시작했다. 이제 둘은 이 정도 방해는 상관하지도 않았다. 그들은 파도를 다시 끌어올리려 들썩이기 시작했다. 목구멍이 간질거리며 또 다른 단어가 입에서 튀어나오려 했다. 나는 어금니를 악물고 이번에는 참아내었다.

"이런 미친 …읍"

간신히 삼키는데 성공했지만, 내뱉을 뻔한 내용을 깨닫고는 등골이 서늘해졌다. 튀어나오는 욕설이 점점 구체화하고 있었다. 사실 이제는 틱으로 인한 욕설인지, 원래 하고 싶었던 말인지 무슨 말이 튀어나오는지 구분하기도 어려웠다. 다만 그것이 무엇이든 내 입 밖으로 나가는 것을 막을 수 없다는 사실이 지랄 맞았다.

내가 욕을 하기 시작한 것은 고 2때 였다. 점심시간이 끝나갈 무렵 교실 창문 너머로 운동장을 바라보고 있었다. 그 순간 구름에 가렸던 해가 나타나며 빛났고, 나는 갑작스런 눈부심에 초점을 잃고 눈을 감았다. 그리고 욕을 내 뱉았다. 씨팔. 어떻게 들어보면 그냥 기침 소리 같기도 했다. 소란스럽던 교실 안이 갑자기 조용해졌다. 나는 민망한 마음에 코를 킁킁거리며 헛기침을 연달아 했다. 나를 주목하던 아이들은 잠시 의아해 하더니 아무것도 아니라는 듯 다시 제자리를 찾아가려 했다. 그때, 다시 입에서 욕이 튀어나왔다. 개새꺄.

그때부터 시작이었다. 입에서 욕이 툭툭 튀어나왔다. 처음에는 숨소리처럼 욕을 했고 나중에는 신음처럼 욕을 했다. 대부분 처음에는 놀랐고, 조금 후에는 짜증 나 했고, 나중에는 미워했다. 걱정하던 사람들도 조금씩 나를 멀리했고 결국에는 나를 증오 했다. 도저히 학교 수업을 들을 수 없었다. 수업을 하던 여자 선생님은 결국 울음을 터뜨렸고, 짜증에 가득찬 반 아이들은 폭력으로 내 욕설에 응수하기 시작했다.

수많은 병원에 갔지만 진단만 있을 뿐 치료는 없었다. 뚜렛 증후군 혹은 틱 장애라는 병명만 알 수 있었다. 병원에서 주는 약은 전혀 듣지 않았다. 욕을 멈출 수 있는 유일한 방법은 잠을 자는 것 뿐이었다. 나는 긴 시간을 잤고, 더 이상 잠이 오지 않으면 수면제를 먹었다. 조금 나아졌지만 욕설은 멈추지 않았다. 어머니가 중대한 결심을 한 것은 내가 오랫동안 쉬던 학교에 다시 등교를 시작하고 얼마 지나지 않아서였다. 나는 같은 반 친구에게 흠씬 두드려 맞았다. 그것도 꽤나 친하게 지냈던 친구였다. 내 욕은 모르는 사람보다 친한 사람에게 더 큰 상처가 되었다. 배신이라고 생각했나 보다. 성대와 배가 만들어내는 단순한 바람의 소리라고 항변해봐도 그들의 상심까지는 어찌하지 못했다. 그 친구가 교과서로 내 얼굴을 후려쳤을 때 어머니는 결심을 굳힌 것 같았다.

어머니는 호주를 가라고 했다. 호주에서 살고있는 이모가 당분간 돌봐주기로 했다. 나는 말 한마디 통하지 않는 호주로 혼자 떠났다. 욕설을 하지 않기 위해 입에 마우스 피스를 물고 그 위에 마스크를 끼고, 가쁜 숨을 쉬면서 바다를 건넜다.

반년 넘게 고통을 받던 나에게 호주는 의외의 길을 열어 주었다. 내가 있는 지역에는 한국 사람이 거의 없었다. 호주 사람들에게 내 욕설은 단순한 탄식이고 작은 외침이었다. 그들에게 나는 틱 장애를 가진 동양 아이일 뿐이었다. 의외의 효과들로 인해 나는 다시 살아갈 수 있게 되었다. 나는 여전히 욕설을 내 뱉았지만 그들은 그 순간의 소리에만 잠깐 놀랄 뿐 감성의 소용돌이까지는 일으키지 않았다. 비로소 나는 마우스피스를 벗고 숨쉬는 자유를 마음껏 즐

길 수 있게 되었다.

하지만, 나도 모르게 영어를 익히고 결국에는 영어로 꿈을 꿀 정도가 되자 이런 생활은 끝났다. 나도 모르게 내 입에서는 어색한 영어 욕설이 튀어나오기 시작했다. 영어 욕설을 깨닫고 화들짝 놀란 나는 말하지 않기 위해 노력했다. 영어를 배우지 않기 위해 노력했다. 한국어로 된 드라마와 영화만을 틀어 놓았다. 하지만, 결국 이런 우스운 노력은 모두 수포로 돌아 갔다. 영어는 자꾸만 늘어갔다. 내가 생각하던 것 보다 주위 사람들은 더 빨리 적으로 돌변했고 방어적으로 폭력을 휘둘렀다. 나에게 휘두르는 폭력에 그들은 죄책감을 갖지 않았다. 정당방위라고 생각했다. 고등학교를 마쳤을 때 이제 이 곳을 떠나야 한다고 생각했다. 호주로 올 때처럼 마우스 피스를 입에 물고 마스크를 쓰고 비행기를 탔다. 그리고 그 한국행 비행기에서 제이슨을 만났다.

"답답하지 않아?"

선은 주방 개수대에서 마우스 피스를 닦고 있는 나를 보며 말했다.

"마. 말 뱉고 나서 수습하는 것보다는 낫지."

"욕하면 어때? 나도 많이 하잖아."

나는 마우스 피스를 입에 가져가며 말했다.

"넌 하고 싶어서 하는 거잖아. 나. 난 아니야."

"그게 차이가 있나? 어떤 유튜브에서 그러는데, 하고 싶은데 자꾸 억누르면 자기도 모르게 튀어나오는 것일 수도 있다는데?"

하나마나 한 소리. 의사들의 틱 진단과 똑같은 소리였다. 욕을 안 해서 병. 욕을 해도 병. 사실을 말해도 병. 거짓을 말해도 병. 병신은 입을 닫아야지. 입에 마우스 피스를 넣고 단단히 물며, 어금니로 확인했다.

"자꾸 어디를 가는 거야? 매일 오후에는 없는데?'"

사람들은 알아도 소용 없는 것을 항상 알고 싶어한다. 들어도 아무 상관없는 것을 듣기 싫어하는 것처럼. 선은 나를 똑바로 쳐다보며 다가왔다.

"야 너 그지같은 마우스피스 좀 벗고 있을 수 없어? 내가 답답해서 그래. 내가. 이건 뭐 자발적인 벙어리야 뭐야."

선은 탁자를 치며 소리쳤다. 나는 입을 닫은 채로 조용히 선을 바라봤다. 선은 내 시선을 느끼고는 조금 진정을 하는 듯 했다. 그녀는 숨을 한번 내쉬더니, 나에게 눈을 맞췄다. 대답을 갈구하는 눈빛 이었다. 나는 어쩔 수 없이 마우스피스를 입에서 꺼냈다.

"관광하러 온긴 아니고, 제. 제니라는 여자를 찾으러고 온거야. 씨. 어릴 적 친구인데, 한국에서 입양된 여자애 였나봐. 뭐 첫사랑 같은 거지. 만나려고 수소문했는데, 한국으로 떠났다는 걸 안거야."

선은 고개를 갸우뚱 하더니 빈 컵에 약간의 물을 받아 입에 가져대며 말했다.

"여자를 찾으러 다닌 다는 거야?"

나는 선의 표정을 살피며 고개를 살짝 끄덕이고 마우스 피스를 다시 입속에 넣었다. 그러게 자발적인 벙어리가 너희에게 훨씬 행복한 말들을 해줄 수 있단다.

"더 얘기 해봐! 그 여자 어디있는지 찾았어? 왜 만나려고 하는거야? 스토커 아니야? 첫 사랑? 혼자 영화찍고 있는거잖아."

나는 고개를 저었다.

"몰라? 모른다고?"

선은 더이상 대답을 기대하지 않고, 몸을 돌려 들고있던 컵을 내려놓더니 탁자 위에 있던 전자담배를 들어 입에 물었다. 몇 번을 빠르게 들이쉬고 내쉬고를 반복하다가 마지막에 담배연기를 한숨 쉬듯 푹 내뿜었다.

"내가 왜 그날 밤바다로 들어갔었는지 알아?"

의외의 물음에 나는 아무 대답 않고 그녀를 쳐다 봤다. 그녀는 대답을 기다리지 않는듯, 담배를 꼼꼼히 다 피우더니, 몸을 일으켰다.

선은 몸을 숙여 머리로 작은 방 문을 조금씩 밀기 시작했다.

"야 밤바다 깜깜한게 좋더라고. 아무 것도 안보이니까. 시선도 없구. 나도 없는 거 같고. 숨이 쉬어지잖아."

어두운 방안으로 몸이 반쯤 들어간 선이 잠시 멈추더니 말했다.

"그래서 이 방이 좋아. 들어와. 여기 캄캄해. 편안해. 매끄러워."

나는 제이슨 만큼이나 선에 대해 아는게 없었다.

제이슨에 대해 아는 건 많지 않았지만, 확실히 아는 한가지는 제이슨은 대답을 기다리는 타입의 사람이 아니라는 것이다. 그래서 우리는 대화가 잘 통했다. 비행기 옆자리에 있던 제이슨은 강제로 인사를 교환한 후 비행 내내 혼자서 떠들어댔다. 11시간이 넘는 비행동안 우리 대화는 끊기지 않았다. 대부분 제이슨의 일방적인 대화였지만. 나는 조심스럽게 고개를 끄덕이며 대화를 끊으려 했지만, 제이슨은 그때마다 다른 주제로 넘어갔다. 제이슨의 에너지가 부담스럽기도 했지만, 어쩐지 위안이 되기도 했다. 그가 말하는 동안, 잠시나마 귀향의 걱정을 잊을 수 있었다.

"아, 당신도 커피 좋아하세요?" 제이슨이 물었다. 나는 고개를 끄덕였다. 그는 내 반응에 더 기뻐하며 말을 이었다. "저는 하루에 커피를 열 잔은 마셔야 해요. 그래야 에너지가 충전되거든요. 그것 때문에 바리스타가 되었지요. 그러자 삶이 아주 효율적이 되었죠. 언제나 에너지를 충전할 수 있고, 그 에너지로 또 다른 에너지를 만들 수 있게 되었어요. 무한동력 완성!" 제이슨은 조증이 틀림없었다. 하지만, 그에게서 뿜어 나오는 열정과 에너지는 묘한 위로가 되었다. 그의 이야기에 심취한 나는 마스크와 마우스피스를 벗고, 커피를 마시며 그의 이야기를 들었다. 대화 중간 중간 내 입에서는 욕이 튀어나왔지만, 그는 못 들었는지, 관심이 없는지 아무 반응도 보이지 않았다. 마치 일종의 추임새로 여기는 듯 오히려 더 신이 난 것 같았다. 어느덧 대화의 주제는 제니를 생각해낸 시점의 자신 이야기로 옮겨가 있었다.

제이슨은 라디오를 듣다가 그녀를 번쩍 떠올렸다고 했다. 아침 토스트를 입에 무는 순간 그녀가 떠올랐고, 더 이상 참을 수 없게 되었다고 했다. 그녀에게 사랑한다고 말하고 싶어서 한국 행을 준비 했다고 했다. 그 순간 라디오에서 흘러나오던 스티비 원더의 I just call to say I love you 때문일 지도 몰랐다. 아무것도 바라는 것은 없다. 그녀에게 사랑한다는 말을 하는 것만이 가장 중요한 일이라는 것만 알았다. 그는 빨대를 휘두르며 강조했다. 왜 제니에게 한번도 사랑한다는 말을 하지 않았는지 너무나도 미스테리 하다. 미스테리이이. 하지만, 제니는 이미 한국으로 떠난 후였다. 그녀를 찾을 것이다. 한국에 얼마나 오래 있을지 알 수 없다. 당분간 지낼 곳도 알아놓았다. 제주도의 한 카페를 두어달 맡기로 했다. 커피 컨퍼런스에서 만난 사람이 소개 해준 곳이다. 다만, 한국말을 못해서 자신을 도와 줄 사람만 찾으면 된다. 아. 당신은 어때? 나? 욕을 해서 안돼. 턱장애야. 괜찮아. 거기 마우스 피스를 끼면 되잖아. 할 일은 없어? 없어. 자 웃어봐. 씩 웃기만 하면 돼. 카페 운영을 도와주면 돼. 가끔 벗고 통역만 해주면 되잖아. 잠깐만 생각 해보고. 나는 제이슨을 제주도로 안내했다. 어차피 집에 온다는 연락을 한 것도 아니고, 할일도 없었다. 너무나도 쉬워 보이는 제이슨 식 진행에 나는 불나방 마냥 이끌렸다. 제이슨과 나는 결국 카페 에스페란토에 도착했다.

제이슨과 나는 카페를 인도 받고 운영을 시작했다. 손님은 별로 없었다. 이 카페의 주인은 이 시즌을 틈타 긴 여행을 떠났다고 했다. 제이슨은 무엇이든지 오케이였지만 커피에 관한 한은 엄격했다. 커피 머신의 종류가 이렇게 많은지 처음 알았다. 커피가 만들어지는 각 과정에 필요한 모든 머신과 재료가 순서대로 놓이자 제이슨은 만족스러운 웃음을 지었다. 모든 정리가 끝나고 빈 카페에 앉아 맥주를 마시던 우리는 여기 와서 아직까지 바다를 못 봤다는 사실을 깨달았다. 우리는 30분 넘게 걸어 바다를 보러 나갔다. 이미 날은 어두워졌다. 제주도 바다의 유명한 옥빛 물결은 어둠에 가려 보이지 않았다. 제이슨은 연신 웃으며 모래사장을 뛰어다녔다.

"바다가 작아. 호주에 비하면 요만해."

바다가 작다니 터무니없는 그의 말을 들으며 웃음이 터졌다.

"저기 봐."

제이슨의 말투가 변했다. 나는 제이슨의 손가락을 따라가 만나는 지점을 찾았다. 그곳에는 검은 미역 같은 것이 움직이고 있었다. 조금 더 자세히 보니 한 여자의 실루엣이 보였다. 긴 검은 머리를 한 여자가 점점 더 깊은 바다로 움직이고 있었다. 제이슨은 벌떡 일어나더니 바다를 향해 달렸다. 나도 덩달아 자리에서 일어났다. 바다로 들어가다가 수영을 할 줄 모른다는 생각에 멈췄다. 제이슨은 큰 키로 철퍽철퍽 바다로 뛰어들어갔다. 제이슨의 다리에서는 하얀 거품이 튀어 올랐다. 마치 기관차의 바퀴에서 뿜는 수증기 같았다. 순식간에 여자에게 도달한 제이슨은 손을 뻗어 여자의 어깨를 잡았다. 다행이다 생각하는 순간, 여자의 손이 제이슨의 팔을 획 뿌리쳤다.

"꺼져."

여자의 목소리는 카랑카랑했다. 무슨 말인지 몰라 당황한 제이슨은 한 발 남짓 떨어져 멈췄다. 나는 소리쳐 통역했다.

"꺼지래!"

여자는 아무 일도 없다는 듯 몸을 바로 세우더니 계속 바닷속으로 걸어 들어갔다. 제이슨이 그녀의 뒤를 따라 들어갔다. 그 둘의 간격이 계속 유지되는 가운데 둘 주위의 수위는 꽤 높아져 있었다.

파도의 높이만큼 그들의 머리는 물속에 들어갔다 나왔다를 반복했다. 제이슨은 뒤돌아 나를 바라봤다. 나를 향해 손을 한 번 흔들더니 결심했다는 듯이 여자에게 다가가 그녀의 머리채를 움켜쥐었다.

"앗! 아파. 놔. 이 새끼야. 개새끼가 머리채를 잡고 지랄이야."

그녀의 입에서 욕설이 마구 튀어나왔다. 하지만 욕설을 할수록 그녀의 입에는 바닷물만 들어찼다. 제이슨은 정신이 없는 그녀를 파도에 실어 잡아당겼다. 그녀의 머리채를 움켜잡고 다시 해변으로 걸어 나왔다. 끌려 나온 그녀는 물을 많이 먹었는지 꺽꺽거리며 모래사장에 엎드렸다. 그날 여자는 우리와 같이 카페 에스페란토로 왔고, 몸을 씻었고, 커피를 한 잔 마셨고, 잠을 잤고, 제이슨과 섹스를 했다. 그날 이후 선은 카페 에스페란토에 합류했다. 선은 아무 말도 하지 않았고 우리도 물을 만한 게 없었다. 그냥 제이슨은 커피를 내리고, 선은 청소를 하고, 토스트를 구웠으며 나는 마우스피스를 물고 서빙을 하며 설거지를 했다.

땡그랑. 카페 문을 여는 소리가 났다. 나는 어둠 속에서 고개를 들어 문쪽을 쳐다보았다. 선은 옆에서 꼼짝하지 않고 누워있었다. 한참 부스럭거리는 소리가 나더니 방문이 빼꼼히 열렸다. 제이슨이 방 안으로 들어오자 방의 어둠이 더 짙어졌다. 제이슨은 아무 말도 하지 않고 발을 끌며 방 중앙으로 조금씩 걸어갔다. 나와 선은 제이슨의 발에 닿을 때마다 몸을 움찔거리며 벽 쪽으로 비켜 중앙 공간을 내주었다. 충분히 공간이 만들어진 것을 확인한 제이슨은 그대로 방 중앙에 누웠다. 셋 다 아무 말도 하지 않고 한참을 있었다.

"너 나한테 온 메일을 보고 지웠어?"

제이슨이 불쑥 말을 꺼냈다. 나는 잠자코 있다가 말을 하기 위해 마우스피스를 뺐다. 내가 제이슨의 메일을 지웠다는 것을 어떻게 알았을까? 연락이 온 걸까?

"소용없는 메일이었어. 진짜야."

"지우면 사라져?"

그건 제이슨이 관여할 일이 아니었다.

"제니는 없어! Fuck"

"제니가 아니라 네가 필요 없겠지."

내가 제이슨의 메일을 지운 게 맞나? 내 메일이지 않았나?

"갑자기 왜 그래? 또 틱이야?"

선이 낮은 목소리로 말했다.

"그냥 계속 여기에 있고 싶어서 그랬어. Fuck! 메일이 뭐가 중요해."

"제니는 없잖아! 있어! Shit"

"조용히 해, 닥쳐!"

"카페 에스페란토는 너한테 뭐야!"

"What the fuck! 씨발"

"I hate 이럴 거면 왜!"

"그대로 있으면 안 돼?"

"안 되잖아. What!"

"너 뭐라는 거야!"

선이 소리를 크게 질렀다. 나는 대답 대신 돌아누웠다. 나는 다시 마우스피스를 물었다. 우리는 한참을 어둠 속에서 누워 있었다. 얼마나 시간이 지났는지 알 수 없었다. 선이 제이슨을 안았다. 제이슨과 선은 다시 섹스를 나누었다. 선은 다시 제이슨의 위로 올라갔다. 그녀의 허리가 휘청거렸고 맞잡은 두 손이 리드미컬하게 솟아올랐다. 좁은 방에서 우리 셋은 하나의 공기를 들이마셨다. 절정으로 치닫고 있을 무렵 선은 갑자기 동작을 멈췄다. 선은 몸을 밀착해 제이슨의 머리를 껴안았다.

"제이. 우리 호주로 갈까? 우리 호주에다가 이런 카페를 차리자."

선이 낮은 목소리로 말했다. 제이슨은 대답하지 않고 멈춰버린 선을 다시 움직이게 하기 위해 들었다 놨다 재촉했다. 계속 재촉했다.

"우리 가자."

제이슨은 대답하지 않았다. 제이슨은 선의 말을 알아들었을까 못 알아들었을까. 알아들었어도 진심인지 거짓인지 못 알아들었을 텐데. 선과 제이슨은 이제 엔진이 꺼진 자동차처럼 굳게 멈춰 있었다. 머뭇거리던 선이 다시 움직이기 시작했다. 숨소리의 질퍽거림이 다시 피어오르기 시작했다. 거기에 선의 울음소리가 섞였다. 선은 섹스하는 내내 흐느꼈다. 이번에 나는 달아오르지 못했다. 신음과 울음과 욕이 뒤섞인 숨소리가 좁은 방안에 가득 찼다.

잠을 거의 못 잔 나는 아침 일찍 카페로 나왔다. 커피를 한 잔 마시고 있는데 차 한 대가 카페 앞에서 멈추는 소리가 들렸다. 차문 닫는 소리가 들리더니 캐주얼 수트를 입은 나이가 지긋해 보이는 남자가 가게 문을 조심스럽게 열었다. 남자는 옆머리에 새치가 가득했고 미간에는 두꺼운 주름이 세로로 새겨져 있었다. 남자는 들어오더니 누구를 찾는 듯 가게 안을 찬찬히 훑었다. 그는 나에게 다가와 약간의 뜸을 들이더니 선영이 여기에 있냐고 물었다.

나는 마우스 피스를 벗고, 제이슨과 선을 불렀다. 하지만, 아무 대답이 없었다. 조금 있다가 제이슨이 나왔다. 이번에는 제이슨이 선을 불렀다. 그래도, 방안에는 아무 대답이 없었다. 조금 기다리던 제이슨은 방안으로 들어갔다. 방의 불을 켜고, 선을 불렀지만 없었다.

그 남자는 우리의 모습을 계속 쳐다보며 서 있었다. 우리가 선을 부르며 방 안팎을 왔다갔다 하자 손을 내저었다. 선영은 항상 그랬습니다. 한 동안 사라졌다가 갑자기 연락이 오죠. 연락을 받고 찾아가면 또 사라지고 없습니다. 그는 만약 선영이 돌아오면 연락해달라고 하며 명함 하나를 내 티셔츠 포켓에 끼우고는 카페를 나갔다. 그날 저녁에도 그 다음날에도 선은 돌아오지 않았다. 선은 그날 방의 어둠 속으로 깊이 들어간 것처럼 사라져 버렸다.

선이 떠나간 후 제이슨은 더이상 제니를 찾으러 나가지 않았다. 나도 더 이상 메일을 지울 생각이 없었다. 제이슨은 갑자기 나에게 다가와 귀에 대고 속삭였다. 선에게 말해야 하지 않았을까 물었다. 선에게 사랑한다고 말했어야 했지 않았나. 제이슨은 그때도 나의 대답을 듣지 않았다. 제이슨은 방 안으로 들어갔다. 제이슨도 선을 찾아 방의 어둠 속으로 돌아가 버렸다. 카페 내 어느 곳에서도 제이슨과 선을 찾을 수 없었다.

나는 아침마다 카페 앞에 블랙 입간판을 세우고 커피를 내렸다. 긴 플레이리스트의 음악을 틀며, 그들을 기다렸다. 간혹, 스크램블과 빵도 구웠지만 성공적이지는 않았다. 선명한 색은 나오기 쉽지 않았다. 한달하고 이틀이 지난 날, 나는 카페 앞 쓰레기통에 마우스피스를 버리고 문을 닫았다.